Suhrkamp BasisBibl

Der erste Band der »Suhrkamp BasisBibliothek – Arbeitstexte für Schule und Studium« bietet Bertolt Brechts *Leben des Galilei* zusammen mit einem Kommentar, der alle für das Verständnis des Werks erforderlichen Informationen enthält: eine Zeittafel zu dem historischen Galilei und den einzelnen Fassungen des Stücks, einen Wort- und Sachkommentar, einen Überblick über die Aufführungsgeschichte und eine Analyse der unterschiedlichen Interpretationsansätze sowie Literaturhinweise. Der Kommentar ist den neuen Rechtschreibregeln entsprechend verfasst.
Zu diesem Band der Suhrkamp BasisBibliothek ist im Cornelsen Verlag ein Hörbuch und eine CD-ROM erschienen. Weitere Informationen erhalten Sie unter www.cornelsen.de.
Dieter Wöhrle, geboren 1954, zahlreiche Publikationen zu Bertolt Brecht, Karl Valentin, Ödön von Horváth (SBB 26, SBB 28, SBB 43, SBB 84) und Theodor Fontane (SBB 47).

Bertolt Brecht
Leben des Galilei

Schauspiel

[Fassung 1955/56]

Mit einem Kommentar
von Dieter Wöhrle

Suhrkamp

Der vorliegende Text folgt der Ausgabe:
Bertolt Brecht, Werke.
Große kommentierte Berliner und Frankfurter Ausgabe,
hg. v. Werner Hecht, Jan Knopf, Werner Mittenzwei und
Klaus-Detlef Müller.
Band 5, Stücke 5, bearb. von Bärbel Schrader und
Günther Klotz, S. 187–289 [»Berliner Fassung«, 1955/56].
Frankfurt am Main: Suhrkamp Verlag 1988.

22. Auflage 2022

Erste Auflage 1998
Suhrkamp BasisBibliothek 1
Originalausgabe

Satz: pagina GmbH, Tübingen
Druck: CPI books GmbH, Leck
Umschlaggestaltung: Regina Göllner und Hermann Michels
Printed in Germany
ISBN 978-3-518-18801-9

www.suhrkamp.de

Inhalt

Leben des Galilei

Schauspiel

Mitarbeiter: Margarete Steffin

Personen

Galileo Galilei · Andrea Sarti · Frau Sarti, Galileis Haushälterin, Andreas Mutter · Ludovico Marsili, ein reicher junger Mann · Der Kurator der Universität Padua, Herr Priuli · Sagredo, Galileis Freund · Virginia, Galileis Tochter · Federzoni, ein Linsenschleifer, Galileis Mitarbeiter · Der Doge · Ratsherren · Cosmo de Medici, Großherzog von Florenz · Der Hofmarschall · Der Theologe · Der Philosoph · Der Mathematiker · Die ältere Hofdame · Die jüngere Hofdame · Großherzoglicher Lakai · Zwei Nonnen · Zwei Soldaten · Die alte Frau · Ein dicker Prälat · Zwei Gelehrte · Zwei Mönche · Zwei Astronomen · Ein sehr dünner Mönch · Der sehr alte Kardinal · Pater Christopher Clavius, Astronom · Der kleine Mönch · Der Kardinal Inquisitor · Kardinal Barberini, später Papst Urban VIII. · Kardinal Bellarmin · Zwei geistliche Sekretäre · Zwei junge Damen · Filippo Mucius, ein Gelehrter · Herr Gaffone, Rektor der Universität Pisa · Der Balladensänger · Seine Frau · Vanni, ein Eisengießer · Ein Beamter · Ein hoher Beamter · Ein Individuum · Ein Mönch · Ein Bauer · Ein Grenzwächter · Ein Schreiber · Männer, Frauen, Kinder

1
Galileo Galilei, Lehrer der Mathematik zu Padua*, will das neue ⌜kopernikanische Weltsystem⌝ beweisen

Galilei lehrt 1592–1610 an der Universität zu Padua.

In dem Jahr sechzehnhundertundneun
5 Schien das Licht des Wissens hell
Zu Padua aus einem kleinen Haus.
Galileo Galilei rechnete aus:
Die Sonn steht still, die Erd kommt von der Stell.

Das ärmliche Studierzimmer des Galilei in Padua. Es ist
10 *morgens. Ein Knabe, Andrea, der Sohn der Haushälterin, bringt ein ⌜Glas Milch⌝ und einen Wecken.*

GALILEI *sich den Oberkörper waschend, prustend und fröhlich:* Stell die Milch auf den Tisch, aber klapp kein Buch zu.
15 ANDREA Mutter sagt, wir müssen den Milchmann bezahlen. Sonst macht er bald einen Kreis um unser Haus, Herr Galilei.
GALILEI Es heißt: er beschreibt einen Kreis, Andrea.
ANDREA Wie Sie wollen. Wenn wir nicht bezahlen, dann
20 beschreibt er einen Kreis um uns, Herr Galilei.
GALILEI Während der Gerichtsvollzieher, Herr Cambione, schnurgerade auf uns zu kommt, indem er was für eine Strecke zwischen zwei Punkten wählt?
ANDREA *grinsend:* Die kürzeste.
25 GALILEI Gut. Ich habe was für dich. Sieh hinter den Sterntafeln nach.
Andrea fischt hinter den Sterntafeln ein großes hölzernes Modell des ⌜ptolemäischen Systems⌝ hervor.
ANDREA Was ist das?
30 GALILEI Das ist ein ⌜Astrolab⌝; das Ding zeigt, wie sich die Gestirne um die Erde bewegen, nach Ansicht der Alten.

ANDREA Wie?
GALILEI Untersuchen wir es. Zuerst das erste: Beschreibung.
ANDREA In der Mitte ist ein kleiner Stein.
GALILEI Das ist die Erde. 5
ANDREA Drum herum sind, immer übereinander, Schalen.
GALILEI Wie viele?
ANDREA Acht.
GALILEI Das sind die ⌜kristallnen Sphären⌝.
ANDREA Auf den Schalen sind Kugeln angemacht … 10
GALILEI Die Gestirne.
ANDREA Da sind Bänder, auf die sind Wörter gemalt.
GALILEI Was für Wörter?
ANDREA Sternnamen.
GALILEI Als wie? 15
ANDREA Die unterste Kugel ist der Mond, steht drauf. Und darüber ist die Sonne.
GALILEI Und jetzt laß die Sonne laufen.
ANDREA *bewegt die Schalen:* Das ist schön. Aber wir sind so eingekapselt. 20
GALILEI *sich abtrocknend:* Ja, das fühlte ich auch, als ich das Ding zum ersten Mal sah. Einige fühlen das. *Er wirft Andrea das Handtuch zu, ⌜daß er ihm den Rücken abreibe⌝.* Mauern und Schalen und Unbeweglichkeit! Durch zweitausend Jahre glaubte die Menschheit, daß 25 die Sonne und alle Gestirne des Himmels sich um sie drehten. Der Papst, die Kardinäle, die Fürsten, die Gelehrten, Kapitäne, Kaufleute, Fischweiber und Schulkinder glaubten, unbeweglich in dieser kristallenen Kugel zu sitzen. Aber jetzt fahren wir heraus, Andrea, in 30 großer Fahrt. Denn die alte Zeit ist herum, und es ist eine neue Zeit. Seit hundert Jahren ist es, als erwartete die Menschheit etwas.
Die Städte sind eng, und so sind die Köpfe. Aberglauben und Pest. Aber jetzt heißt es: da es so ist, bleibt es nicht 35 so. Denn alles bewegt sich, mein Freund.

Ich denke gerne, daß es mit den Schiffen anfing. Seit Menschengedenken waren sie nur an den Küsten entlang gekrochen, aber plötzlich verließen sie die Küsten und liefen aus über alle Meere.
5 Auf unserm alten Kontinent ist ein Gerücht entstanden: es gibt neue Kontinente. Und ⌜seit unsere Schiffe⌝ zu ihnen fahren, spricht es sich ⌜auf den lachenden Kontinenten⌝ herum: das große gefürchtete Meer ist ein kleines Wasser. Und es ist eine große Lust aufgekommen, die
10 Ursachen aller Dinge zu erforschen: warum der Stein fällt, den man losläßt, und wie er steigt, wenn man ihn hochwirft. Jeden Tag wird etwas gefunden. Selbst die Hundertjährigen lassen sich noch von den Jungen ins Ohr schreien, was Neues entdeckt wurde.
15 Da ist schon viel gefunden, aber da ist mehr, was noch gefunden werden kann. Und so gibt es wieder zu tun für neue Geschlechter.
In Siena*, als junger Mensch, sah ich, wie ein paar Bauleute eine tausendjährige Gepflogenheit, Granitblöcke
20 zu bewegen, durch eine neue und zweckmäßigere Anordnung der Seile ersetzten, nach einem Disput* von fünf Minuten. Da und dann wußte ich: die alte Zeit ist herum, und es ist eine neue Zeit. Bald wird die Menschheit Bescheid wissen über ihre Wohnstätte, den Him-
25 melskörper, auf dem sie haust. Was in den alten Büchern steht, das genügt ihr nicht mehr.
⌜Denn wo der Glaube tausend Jahre gesessen hat, eben da sitzt jetzt der Zweifel.⌝ Alle Welt sagt: ja, das steht in den Büchern, aber laßt uns jetzt selbst sehn. Den gefei-
30 ertsten Wahrheiten wird auf die Schulter geklopft; was nie bezweifelt wurde, das wird jetzt bezweifelt.
Dadurch ist eine Zugluft entstanden, welche sogar den Fürsten und Prälaten* die goldbestickten Röcke lüftet, so daß fette und dürre Beine darunter sichtbar werden,
35 Beine wie unsere Beine. ⌜Die Himmel, hat es sich heraus-

Galilei wirkt 1585–1589 als Privatgelehrter in Siena.

Streitgespräch

Hoher Geistlicher der röm.-kath. Kirche

gestellt, sind leer. Darüber ist ein fröhliches Gelächter entstanden.

Teil eines Spinnrades

Aber das Wasser der Erde treibt die neuen Spinnrocken*, und auf den Schiffswerften, in den Seil- und Segelhäusern regen sich fünfhundert Hände zugleich in einer neuen Anordnung.

Ich sage voraus, daß noch zu unsern Lebzeiten auf den Märkten von Astronomie gesprochen werden wird. Selbst die Söhne der Fischweiber werden in die Schulen laufen. Denn es wird diesen neuerungssüchtigen Menschen unserer Städte gefallen, daß eine neue Astronomie nun auch die Erde sich bewegen läßt. Es hat immer geheißen, die Gestirne sind an einem kristallenen Gewölbe angeheftet, daß sie nicht herunterfallen können. Jetzt haben wir Mut gefaßt und lassen sie im Freien schweben, ohne Halt, und sie sind in großer Fahrt, gleich unseren Schiffen, ohne Halt und in großer Fahrt.

Und die Erde rollt fröhlich um die Sonne, und die Fischweiber, Kaufleute, Fürsten und die Kardinäle und sogar der Papst rollen mit ihr.

Das Weltall aber hat über Nacht seinen Mittelpunkt verloren, und am Morgen hatte es deren unzählige. So daß jetzt jeder als Mittelpunkt angesehen wird und keiner. Denn da ist viel Platz plötzlich.

Unsere Schiffe fahren weit hinaus, unsere Gestirne bewegen sich weit im Raum herum, selbst im Schachspiel die Türme gehen neuerdings weit über alle Felder.

Wie sagt der Dichter? »O früher Morgen des Beginnens! . . .«

ANDREA

»O früher Morgen des Beginnens!
O Hauch des Windes, der
Von neuen Küsten kommt!«

Und Sie müssen Ihre Milch trinken, denn dann kommen sofort wieder Leute.

GALILEI Hast du, was ich dir gestern sagte, inzwischen begriffen?

ANDREA Was? Das mit dem ⌜Kippernikus⌝ seinem Drehen?

GALILEI Ja.

ANDREA Nein. Warum wollen Sie denn, daß ich es begreife? Es ist sehr schwer, und ich bin im Oktober erst elf.

GALILEI Ich will gerade, daß auch du es begreifst. Dazu, daß man es begreift, arbeite ich und kaufe die teuren Bücher, statt den Milchmann zu bezahlen.

ANDREA Aber ich sehe doch, daß die Sonne abends woanders hält als morgens. Da kann sie doch nicht stillstehn! Nie und nimmer.

GALILEI Du siehst! Was siehst du? Du siehst gar nichts. Du glotzt nur. ⌜Glotzen ist nicht sehen.⌝ *Er stellt den eisernen Waschschüsselständer in die Mitte des Zimmers.* Also das ist die Sonne. Setz dich. *Andrea setzt sich auf den einen Stuhl. Galilei steht hinter ihm.* Wo ist die Sonne, rechts oder links?

ANDREA Links.

GALILEI Und wie kommt sie nach rechts?

ANDREA Wenn Sie sie nach rechts tragen, natürlich.

GALILEI Nur so? *Er nimmt ihn mitsamt dem Stuhl auf und vollführt mit ihm eine halbe Drehung.* Wo ist jetzt die Sonne?

ANDREA Rechts.

GALILEI Und hat sie sich bewegt?

ANDREA Das nicht.

GALILEI Was hat sich bewegt?

ANDREA Ich.

GALILEI *brüllt:* Falsch! Dummkopf! Der Stuhl!

ANDREA Aber ich mit ihm!

GALILEI Natürlich. Der Stuhl ist die Erde. Du sitzt drauf.

FRAU SARTI *ist eingetreten, das Bett zu machen. Sie hat zugeschaut:* Was machen Sie eigentlich mit meinem Jungen, Herr Galilei?

GALILEI Ich lehre ihn sehen, Sarti.

FRAU SARTI Indem Sie ihn im Zimmer herumschleppen?

ANDREA Laß doch, Mutter. Das verstehst du nicht.

FRAU SARTI So? Aber du verstehst es, wie? Ein junger Herr, der Unterricht wünscht. Sehr gut angezogen und bringt einen Empfehlungsbrief. *Übergibt diesen.* Sie bringen meinen Andrea noch so weit, daß er behauptet, zwei mal zwei ist fünf. Er verwechselt schon alles, was Sie ihm sagen. Gestern abend bewies er mir schon, daß die Erde sich um die Sonne dreht. Er ist fest überzeugt, daß ein Herr namens Kippernikus das ausgerechnet hat.

ANDREA Hat es der Kippernikus nicht ausgerechnet, Herr Galilei? Sagen Sie es ihr selber!

FRAU SARTI Was, Sie sagen ihm wirklich einen solchen Unsinn? Daß er es in der Schule herumplappert und die geistlichen Herren zu mir kommen, weil er lauter unheiliges Zeug vorbringt. Sie sollten sich schämen, Herr Galilei.

GALILEI *frühstückend:* Auf Grund unserer Forschungen, Frau Sarti, haben, nach heftigem Disput, Andrea und ich Entdeckungen gemacht, die wir nicht länger der Welt gegenüber geheimhalten können. Eine neue Zeit ist angebrochen, ein großes ⌜Zeitalter, in dem zu leben eine Lust ist⌝.

FRAU SARTI So. Hoffentlich können wir auch den Milchmann bezahlen in dieser neuen Zeit, Herr Galilei. *Auf den Empfehlungsbrief deutend.* Tun Sie mir den einzigen Gefallen und schicken Sie den nicht auch wieder weg. Ich denke an die Milchrechnung. *Ab.*

GALILEI *lachend:* Lassen Sie mich wenigstens meine Milch austrinken! – *Zu Andrea:* Einiges haben wir gestern also doch verstanden!

ANDREA Ich habe es ihr nur gesagt, damit sie sich wundert. Aber es stimmt nicht. Den Stuhl mit mir haben Sie nur seitwärts um sich selber gedreht und nicht so. *Macht*

eine Armbewegung vornüber. Sonst wäre ich nämlich heruntergefallen, und das ist ein Fakt. Warum haben Sie den Stuhl nicht vorwärts gedreht? Weil dann bewiesen ist, daß ich von der Erde ebenfalls herunterfallen
5 würde, wenn sie sich so drehen würde. Da haben Sie's.

GALILEI Ich habe dir doch bewiesen ...

ANDREA Aber heute nacht habe ich gefunden, daß ich da ja, wenn die Erde sich so drehen würde, mit dem Kopf die Nacht nach unten hängen würde. Und das ist ein
10 Fakt.

GALILEI *nimmt einen Apfel vom Tisch:* Also das ist die Erde.

ANDREA Nehmen Sie nicht lauter solche Beispiele, Herr Galilei. Damit schaffen Sie's immer.

15 GALILEI *den Apfel zurücklegend:* Schön.

ANDREA Mit Beispielen kann man es immer schaffen, wenn man schlau ist. Nur, ich kann meine Mutter nicht in einem Stuhl herumschleppen wie Sie mich. Da sehen Sie, was das für ein schlechtes Beispiel ist. Und was ist,
20 wenn der Apfel also die Erde ist? Dann ist gar nichts.

GALILEI *lacht:* Du willst es ja nicht wissen.

ANDREA Nehmen Sie ihn wieder. Wieso hänge ich nicht mit dem Kopf nach unten nachts?

GALILEI Also hier ist die Erde, und hier stehst du. *Er steckt*
25 *einen Holzsplitter von einem Ofenscheit in den Apfel.* Und jetzt dreht sich die Erde.

ANDREA Und jetzt hänge ich mit dem Kopf nach unten.

GALILEI Wieso? Schau genau hin! Wo ist der Kopf?

ANDREA *zeigt am Apfel:* Da. Unten.

30 GALILEI Was? *Er dreht zurück.* Ist er etwa nicht an der gleichen Stelle? Sind die Füße nicht mehr unten? Stehst du etwa, wenn ich drehe, so? *Er nimmt den Splitter heraus und dreht ihn um.*

ANDREA Nein. Und warum merke ich nichts von der Dre-
35 hung?

GALILEI Weil du sie mitmachst! Du und die Luft über dir und alles, was auf der Kugel ist.
ANDREA Und warum sieht es so aus, als ob die Sonne läuft?
GALILEI *dreht wieder den Apfel mit dem Splitter:* Also unter dir siehst du die Erde, die bleibt gleich, sie ist immer unten und bewegt sich für dich nicht. Aber jetzt schau über dich. Nun ist die Lampe über deinem Kopf, aber jetzt, was ist jetzt, wenn ich gedreht habe, über deinem Kopf, also oben? 5
ANDREA *macht die Drehung mit:* Der Ofen. 10
GALILEI Und wo ist die Lampe?
ANDREA Unten.
GALILEI Aha!
ANDREA Das ist fein, das wird sie wundern.
Ludovico Marsili, ein reicher junger Mann, tritt ein. 15
GALILEI Hier geht es zu wie in einem Taubenschlag.
LUDOVICO Guten Morgen, Herr. Mein Name ist Ludovico Marsili.
GALILEI *seinen Empfehlungsbrief studierend:* Sie waren in Holland? 20
LUDOVICO Wo ich viel von Ihnen hörte, Herr Galilei.
GALILEI Ihre Familie besitzt Güter in der Campagna*?

Fruchtbares Landwirtschafts- und Weinbaugebiet in der Umgebung Roms

LUDOVICO Die Mutter wünschte, daß ich mich ein wenig umsähe, was in der Welt sich zuträgt und so weiter.
GALILEI Und Sie hörten in Holland, daß in Italien zum Beispiel ich mich zutrage? 25
LUDOVICO Und da die Mutter wünscht, daß ich mich auch in den Wissenschaften umsehe ...
GALILEI Privatunterricht: 10 Skudi* pro Monat.

Ital. Silbermünze

LUDOVICO Sehr wohl, Herr. 30
GALILEI Was sind Ihre Interessen?
LUDOVICO Pferde.
GALILEI Aha.
LUDOVICO Ich habe keinen Kopf für die Wissenschaften, Herr Galilei. 35

GALILEI Aha. Unter diesen Umständen sind es 15 Skudi pro Monat.

LUDOVICO Sehr wohl, Herr Galilei.

GALILEI Ich werde Sie in der Frühe drannehmen müssen. Es wird auf deine Kosten gehen, Andrea. Du fällst natürlich dann aus. Du verstehst, du zahlst nichts.

ANDREA Ich geh schon. Kann ich den Apfel mithaben?

GALILEI Ja.

Andrea ab.

LUDOVICO Sie werden Geduld mit mir haben müssen. Hauptsächlich weil es in den Wissenschaften immer anders ist, als der gesunde Menschenverstand einem sagt. Nehmen Sie zum Beispiel dieses komische ⌜Rohr⌝, das sie in Amsterdam verkaufen. Ich habe es genau untersucht. Eine Hülse aus grünem Leder und zwei Linsen, eine so *er deutet eine konkave* Linse an*, eine so *er deutet eine konvexe* Linse an.* Ich höre, eine vergrößert und eine verkleinert. Jeder vernünftige Mensch würde denken, sie gleichen einander aus. Falsch. Man sieht alles fünfmal so groß durch das Ding. Das ist Ihre Wissenschaft.

konkave*: Nach innen gewölbt
konvexe*: Nach außen gewölbt

GALILEI Was sieht man fünfmal so groß?

LUDOVICO Kirchturmspitzen, Tauben; alles, was weit weg ist.

GALILEI Haben Sie solche Kirchturmspitzen selber vergrößert gesehen?

LUDOVICO Jawohl, Herr.

GALILEI Und das Rohr hatte zwei Linsen? *Er macht auf einem Blatt eine Skizze.* Sah es so aus? *Ludovico nickt.* Wie alt ist die Erfindung?

LUDOVICO Ich glaube, sie war nicht älter als ein paar Tage, als ich Holland verließ, jedenfalls nicht länger auf dem Markt.

GALILEI *beinahe freundlich:* Und warum muß es Physik sein? Warum nicht Pferdezucht?

Herein Frau Sarti, von Galilei unbemerkt.

LUDOVICO Die Mutter meint, ein wenig Wissenschaft ist nötig. Alle Welt nimmt ihren Wein heutzutage mit Wissenschaft, wissen Sie.

Griechisch, Latein

GALILEI Sie könnten ebensogut eine tote* Sprache wählen oder Theologie. Das ist leichter. *Sieht Frau Sarti.* Gut, kommen Sie Dienstag morgen. 5

Ludovico geht.

GALILEI Schau mich nicht so an. Ich habe ihn genommen.

FRAU SARTI Weil du mich zur rechten Zeit gesehen hast. Der ⌜Kurator⌝ von der Universität ist draußen. 10

GALILEI Den bring herein, der ist wichtig. Das sind vielleicht 500 Skudi. Dann brauche ich keine Schüler.

Frau Sarti bringt den Kurator herein. Galilei hat sich vollends angezogen, dabei Ziffern auf einen Zettel kritzelnd. 15

GALILEI Guten Morgen, leihen Sie mir einen halben Skudo. *Gibt die Münze, die der Kurator aus dem Beutelchen fischt, der Sarti.* Sarti, schicken Sie Andrea zum Brillenmacher um zwei Linsen; hier sind die Maße.

Sarti ab mit dem Zettel. 20

DER KURATOR Ich komme betreffs Ihres Ansuchens um Erhöhung des Gehalts auf 1000 Skudi. Ich kann es bei der Universität leider nicht befürworten. Sie wissen, mathematische Kollegien bringen der Universität nun einmal keinen Zustrom. Mathematik ist eine brotlose Kunst, sozusagen. Nicht als ob die ⌜Republik⌝ sie nicht über alles schätzte. Sie ist nicht so nötig wie die Philosophie, noch so nützlich wie die Theologie, aber sie verschafft den Kennern doch so unendliche Genüsse! 25

GALILEI *über seinen Papieren:* Mein lieber Mann, ich kann nicht auskommen mit 500 Skudi. 30

DER KURATOR Aber, Herr Galilei, Sie lesen zweimal zwei Stunden in der Woche. Ihr außerordentlicher Ruf verschafft Ihnen sicher Schüler in beliebiger Menge, die zahlen können für Privatstunden. Haben Sie keine Privatschüler? 35

GALILEI Herr, ich habe zu viele! Ich lehre und lehre, und wann soll ich lernen? Mann Gottes, ich bin nicht so siebengescheit* wie die Herren von der ⌜philosophischen Fakultät⌝. Ich bin dumm. Ich verstehe rein gar nichts. Ich
5 bin also gezwungen, die Löcher in meinem Wissen auszustopfen. Und wann soll ich das tun? Wann soll ich forschen? Herr, meine Wissenschaft ist noch wißbegierig! Über die größten Probleme haben wir heute noch nichts als Hypothesen. Aber wir verlangen Beweise von
10 uns. Und wie soll ich da weiterkommen, wenn ich, um meinen Haushalt in Gang zu halten, gezwungen bin, jedem Wasserkopf, der es bezahlen kann, einzutrichtern, daß die Parallelen sich im Unendlichen schneiden?

Spöttisch: besonders klug

DER KURATOR Vergessen Sie nicht ganz, daß die Republik
15 vielleicht nicht so viel bezahlt, wie gewisse Fürsten bezahlen, daß sie aber die Freiheit der Forschung garantiert. Wir in Padua lassen ⌜sogar Protestanten⌝ als Hörer zu! Und wir verleihen ihnen den Doktorgrad. Herrn ⌜Cremonini⌝ haben wir nicht nur nicht an die ⌜Inquisi-
20 tion⌝ ausgeliefert, als man uns bewies, bewies, Herr Galilei, daß er irreligiöse Äußerungen tut, sondern wir haben ihm sogar eine Gehaltserhöhung bewilligt. Bis nach Holland weiß man, daß Venedig die Republik ist, in der die Inquisition nichts zu sagen hat. Und das ist einiges
25 wert für Sie, der Sie Astronom sind, also in einem Fach tätig, wo seit geraumer Zeit die Lehre der Kirche nicht mehr mit dem schuldigen Respekt geachtet wird!

GALILEI Herrn ⌜Giordano Bruno⌝ haben Sie von hier nach Rom ausgeliefert. Weil er die Lehre des Kopernikus ver-
30 breitete.

DER KURATOR Nicht, weil er die Lehre des Herrn Kopernikus verbreitet, die übrigens falsch ist, sondern weil er kein Venezianer war und auch keine Anstellung hier hatte. Sie können den Verbrannten also aus dem Spiele las-
35 sen. Nebenbei, bei aller Freiheit ist es doch rätlich, einen

solchen Namen, auf dem der ausdrückliche Fluch der Kirche ruht, nicht so sehr laut in alle Winde zu rufen, auch hier nicht, ja, nicht einmal hier.

GALILEI Euer Schutz der Gedankenfreiheit ist ein ganz gutes Geschäft, wie? Indem ihr darauf verweist, daß woanders die Inquisition herrscht und brennt, kriegt ihr hier billig gute Lehrkräfte. Den Schutz vor der Inquisition laßt ihr euch damit vergüten, daß ihr die schlechtesten Gehälter zahlt.

DER KURATOR Ungerecht! Ungerecht! Was würde es Ihnen schon nützen, beliebig viel freie Zeit zur Forschung zu haben, wenn jeder beliebige ungebildete Mönch der Inquisition Ihre Gedanken einfach verbieten könnte? Keine Rose ohne Dornen, keine Fürsten ohne Mönche, Herr Galilei!

GALILEI Und was nützt freie Forschung ohne freie Zeit zu forschen? Was geschieht mit den Ergebnissen? Vielleicht zeigen Sie den Herren von der Signoria* einmal diese ⌜Untersuchungen über die Fallgesetze⌝ *er weist auf ein Bündel Manuskripte* und fragen sie, ob das nicht ein paar Skudi mehr wert ist!

Regierungsvertreter der Republik Venedig

DER KURATOR Es ist unendlich viel mehr wert, Herr Galilei.

GALILEI Nicht unendlich viel mehr wert, sondern 500 Skudi mehr, Herr.

DER KURATOR Skudi wert ist nur, was Skudi bringt. Wenn Sie Geld haben wollen, müssen Sie etwas anderes vorzeigen. Sie können für das Wissen, das Sie verkaufen, nur so viel verlangen, als es dem, der es Ihnen abkauft, einbringt. Die Philosophie zum Beispiel, die ⌜Herr Colombe⌝ in Florenz verkauft, bringt dem Fürsten mindestens 10 000 Skudi im Jahr ein. Ihre Fallgesetze haben Staub aufgewirbelt, gewiß. Man klatscht Ihnen Beifall ⌜in Paris und Prag⌝. Aber die Herren, die da klatschen, bezahlen der Universität Padua nicht, was Sie sie kosten. ⌜Ihr Unglück ist Ihr Fach⌝, Herr Galilei.

GALILEI Ich verstehe: freier Handel, freie Forschung. Freier Handel mit der Forschung, wie?

DER KURATOR Aber Herr Galilei! Welch eine Auffassung! Erlauben Sie mir zu sagen, daß ich Ihre spaßhaften Bemerkungen nicht ganz verstehe. Der blühende Handel der Republik erscheint mir kaum als etwas Verächtliches. Noch viel weniger aber vermöchte ich als langjähriger Kurator der Universität in diesem, darf ich es sagen, frivolen Ton von der Forschung zu sprechen. *Während Galilei sehnsüchtige Blicke nach seinem Arbeitstisch schickt.* Bedenken Sie die Zustände ringsum! Die Sklaverei, unter deren Peitsche die Wissenschaften an gewissen Orten seufzen! Aus alten Lederfolianten hat man dort Peitschen geschnitten. Man muß dort nicht wissen, wie der Stein fällt, sondern was der ⌜Aristoteles⌝ darüber schreibt. Die Augen hat man nur zum Lesen. Wozu neue Fallgesetze, wenn nur die Gesetze des Fußfalls wichtig sind? Halten Sie dagegen die unendliche Freude, mit der unsere Republik Ihre Gedanken, sie mögen so kühn sein, wie Sie wollen, aufnimmt! Hier können Sie forschen! Hier können Sie arbeiten! Niemand überwacht Sie, niemand unterdrückt Sie! Unsere Kaufleute, die wissen, was besseres Leinen im Kampf mit der Florentiner Konkurrenz bedeutet, hören mit Interesse Ihren Ruf »Bessere Physik!«, und wieviel verdankt die Physik dem Schrei nach besseren Webstühlen! Unsere hervorragendsten Bürger interessieren sich für Ihre Forschungen, besuchen Sie, lassen sich ⌜Ihre Entdeckungen⌝ vorführen, Leute, deren Zeit kostbar ist. Verachten Sie nicht den Handel, Herr Galilei. Niemand würde hier dulden, daß Ihre Arbeit auch nur im geringsten gestört wird, daß Unberufene Ihnen Schwierigkeiten bereiten. Geben Sie zu, Herr Galilei, daß Sie hier arbeiten können!

GALILEI *verzweifelt:* Ja.

DER KURATOR Und was das Materielle angeht: machen Sie

doch mal wieder was so Hübsches wie Ihren famosen ⌜Proportionalzirkel⌝, mit dem man *er zählt es an den Fingern ab* ohne alle mathematischen Kenntnisse Linien ausziehen, die Zinseszinsen eines Kapitals berechnen, Grundrisse von Liegenschaften in verkleinertem oder vergrößertem Maßstab reproduzieren und die Schwere von Kanonenkugeln bestimmen kann.

GALILEI Schnickschnack.

DER KURATOR Etwas, was die höchsten Herren entzückt und in Erstaunen gesetzt hat und was Bargeld getragen hat, nennen Sie Schnickschnack. Ich höre, daß sogar der General Stefano Gritti mit diesem Instrument Wurzeln ausziehen kann!

GALILEI Wahrhaftig ein Wunderwerk. – Trotzdem, Priuli, Sie haben mich nachdenklich gemacht. Priuli, ich habe vielleicht etwas für Sie von der erwähnten Art. *Er nimmt das Blatt mit der Skizze auf.*

DER KURATOR Ja? Das wäre die Lösung. *Steht auf.* Herr Galilei, wir wissen, Sie sind ein großer Mann. Ein großer, aber unzufriedener Mann, wenn ich so sagen darf.

GALILEI Ja, ich bin unzufrieden, und das ist es, was ihr mir noch bezahlen würdet, wenn ihr Verstand hättet! Denn ich bin mit mir unzufrieden. Aber statt dessen sorgt ihr, daß ich es mit euch sein muß. Ich gebe es zu, es macht mir Spaß, ihr meine Herren Venezianer, in eurem ⌜berühmten Arsenal⌝, den Werften und Artilleriezeughäusern meinen Mann zu stellen. Aber ihr laßt mir keine Zeit, den weiterführenden Spekulationen nachzugehen, welche sich mir dort für mein Wissensgebiet aufdrängen. ⌜Ihr verbindet dem Ochsen, der da drischt, das Maul.⌝ Ich bin 46 Jahre alt und habe nichts geleistet, was mich befriedigt.

DER KURATOR Da möchte ich Sie nicht länger stören.

GALILEI Danke.

Der Kurator ab.

Galilei bleibt einige Augenblicke allein und beginnt zu arbeiten. Dann kommt Andrea gelaufen.

GALILEI *im Arbeiten:* Warum hast du den Apfel nicht gegessen?

ANDREA Damit zeige ich ihr doch, daß sie sich dreht.

GALILEI Ich muß dir etwas sagen, Andrea, sprich nicht zu andern Leuten von unsern Ideen.

ANDREA Warum nicht?

GALILEI Die Obrigkeit hat es verboten.

ANDREA Aber es ist doch die Wahrheit.

GALILEI Aber sie verbietet es. – In diesem Fall kommt noch etwas dazu. Wir Physiker können immer noch nicht beweisen, was wir für richtig halten. Selbst die Lehre des großen Kopernikus ist noch nicht bewiesen. Sie ist nur eine Hypothese. Gib mir die Linsen.

ANDREA Der halbe Skudo hat nicht gereicht. Ich mußte meinen Rock dalassen. Pfand.

GALILEI Was wirst du ohne Rock im Winter machen?

Pause. Galilei ordnet die Linsen auf dem Blatt mit der Skizze an.

ANDREA Was ist eine Hypothese?

GALILEI Das ist, wenn man etwas als wahrscheinlich annimmt, aber keine Fakten hat. Daß die Felice dort unten, vor dem Korbmacherladen, die ihr Kind an der Brust hat, dem Kind Milch gibt und nicht etwa Milch von ihm empfängt, das ist so lange eine Hypothese, als man nicht hingehen und es sehen und beweisen kann. Den Gestirnen gegenüber ⌜sind wir wie Würmer⌝ mit trüben Augen, die nur ganz wenig sehen. Die alten Lehren, die tausend Jahre geglaubt wurden, sind ganz baufällig; an diesen riesigen Gebäuden ist weniger Holz als an den Stützen, die sie halten sollen. Viele Gesetze, die weniges erklären, während die neue Hypothese wenige Gesetze hat, die vieles erklären.

ANDREA Aber Sie haben mir alles bewiesen.

GALILEI Nur, daß es so sein kann. Du verstehst, die Hypothese ist sehr schön, und es spricht nichts dagegen.

ANDREA Ich möchte auch Physiker werden, Herr Galilei.

GALILEI Das glaube ich, angesichts der Unmenge von Fragen, die es auf unserm Gebiet zu klären gibt. *Er ist zum Fenster gegangen und hat durch die Linsen geschaut. Mäßig interessiert.* Schau einmal da durch, Andrea.

ANDREA Heilige Maria, alles kommt nah. Die Glocke auf dem Campanile* ganz nah. Ich kann sogar die kupfernen Lettern lesen: Gracia* dei.

GALILEI Das bringt uns 500 Skudi.

Frei stehender Glockenturm

Zum Lob Gottes

2
Galilei überreicht der Republik Venedig eine neue Erfindung

Groß ist nicht alles, was ein großer Mann tut
5 Und Galilei aß gern gut.
Nun hört, und seid nicht grimm darob
Die Wahrheit übers Teleskop*.

Fernrohr

Das Große Arsenal von Venedig am Hafen. Ratsherren, an ihrer Spitze der Doge. Seitwärts Galileis Freund ⌜Sagredo⌝ 10 und die fünfzehnjährige ⌜Virginia⌝ Galilei mit einem Samtkissen, auf dem ein etwa 60 Zentimenter langes Fernrohr in karmesinrotem* Lederfutteral liegt. Auf einem Podest Galilei. Hinter sich das Gestell für das Fernrohr, betreut von dem Linsenschleifer Federzoni.*

Staatsoberhaupt der Republik Venedig

Leuchtendes Rot

15 GALILEI Eure Exzellenz, Hohe Signoria! ⌜Als Lehrer der Mathematik⌝ an Ihrer Universität in Padua und Direktor Ihres Großen Arsenals hier in Venedig habe ich es stets als meine Aufgabe betrachtet, nicht nur meinem hohen Lehrauftrag zu genügen, sondern auch durch 20 nützliche Erfindungen der Republik Venedig außergewöhnliche Vorteile zu schaffen. Mit tiefer Freude und aller schuldigen Demut kann ich Ihnen heute ein vollkommen neues Instrument vorführen und überreichen, mein Fernrohr oder Teleskop, angefertigt in Ihrem welt-25 berühmten Großen Arsenal nach den höchsten wissenschaftlichen und christlichen Grundsätzen, Frucht siebenzehnjähriger geduldiger Forschung Ihres ergebenen Dieners. *Galilei verläßt das Podest und stellt sich neben Sagredo. Händeklatschen. Galilei verbeugt sich.*

30 GALILEI *leise zu Sagredo:* Zeitverlust!

SAGREDO *leise:* Du wirst deinen Fleischer bezahlen können, Alter.

GALILEI Ja, es wird ihnen Geld einbringen. *Er verbeugt sich wieder.*

DER KURATOR *betritt das Podest:* Exzellenz, Hohe Signoria! Wieder einmal bedeckt sich ein Ruhmesblatt im großen Buch der Künste mit venezianischen Schriftzeichen. *Höflicher Beifall.* Ein Gelehrter von Weltruf übergibt Ihnen, und Ihnen allein, hier ein höchst verkaufbares Rohr, es herzustellen und auf den Markt zu werfen, wie immer Sie belieben. *Stärkerer Beifall.* Und ist es Ihnen beigefallen, daß wir vermittels dieses Instruments im Kriege die Schiffe des Feinds nach Zahl und Art volle zwei Stunden früher erkennen werden als er die unsern, so daß wir, seine Stärke wissend, uns zur Verfolgung, zum Kampf oder zur Flucht zu entscheiden vermögen? *Sehr starker Beifall.* Und nun, Exzellenz, Hohe Signoria, bittet Herr Galilei Sie, dieses Instrument seiner Erfindung, dieses Zeugnis seiner Intuition, aus der Hand seiner reizenden Tochter entgegenzunehmen.

Musik. Virginia tritt vor, verbeugt sich, übergibt das Fernrohr dem Kurator, der es Federzoni übergibt. Federzoni legt es auf das Gestell und stellt es ein. Doge und Ratsherren besteigen das Podium und schauen durch das Rohr.

GALILEI *leise:* Ich kann dir nicht versprechen, daß ich den Karneval hier durchstehen werde. Die meinen hier, sie kriegen einen einträglichen Schnickschnack, aber es ist viel mehr. Ich habe das Rohr gestern nacht ⌜auf den Mond gerichtet⌝.

SAGREDO Was hast du gesehen?

GALILEI Er leuchtet nicht selbst.

SAGREDO Was?

RATSHERREN Ich kann die Befestigung von Santa Rosita sehen, Herr Galilei. – Auf dem Boot dort essen sie zu Mittag. Bratfisch. Ich habe Appetit.

GALILEI Ich sage dir, die Astronomie ist seit tausend Jahren stehengeblieben, weil sie kein Fernrohr hatten.

RATSHERR Herr Galilei!
SAGREDO Man wendet sich an dich.
RATSHERR Mit dem Ding sieht man zu gut. Ich werde meinen Frauenzimmern sagen müssen, daß das Baden auf
5 dem Dach nicht mehr geht.
GALILEI Weißt du, aus was die ⌜Milchstraße⌝ besteht?
SAGREDO Nein.
GALILEI Ich weiß es.
RATSHERR Für so ein Ding kann man seine 10 Skudi ver-
10 langen, Herr Galilei.
Galilei verbeugt sich.
VIRGINIA *bringt Ludovico zu ihrem Vater:* Ludovico will dir gratulieren, Vater.
LUDOVICO *verlegen:* Ich gratuliere, Herr.
15 GALILEI Ich habe es verbessert.
LUDOVICO Jawohl, Herr. Ich sah, Sie machten das Futteral rot. In Holland war es grün.
GALILEI *wendet sich zu Sagredo:* Ich frage mich sogar, ob ich mit dem Ding nicht eine gewisse Lehre nachweisen
20 kann.
SAGREDO Nimm dich zusammen.
DER KURATOR Ihre 500 Skudi sind unter Dach, Galilei.
GALILEI *ohne ihn zu beachten:* Ich bin natürlich sehr mißtrauisch gegen jede vorschnelle Folgerung.
25 *Der Doge, ein dicker bescheidener Mann, hat sich Galilei genähert und versucht mit unbeholfener Würde ihn anzureden.*
DER KURATOR Herr Galilei, seine Exzellenz, der Doge.
Der Doge schüttelt Galilei die Hand.
30 GALILEI Richtig, die 500! Sind Sie zufrieden, Exzellenz?
DOGE Unglücklicherweise brauchen wir in der Republik immer einen Vorwand für unsere Stadtväter, um unseren Gelehrten etwas zukommen lassen zu können.
DER KURATOR Andrerseits, wo bliebe sonst der Ansporn,
35 Herr Galilei?

DOGE *lächelnd:* Wir brauchen den Vorwand.

Der Doge und der Kurator führen Galilei zu den Ratsherren, die ihn umringen. Virginia und Ludovico gehen langsam weg.

VIRGINIA Habe ich es richtig gemacht? 5

LUDOVICO Ich fand es richtig.

VIRGINIA Was hast du denn?

LUDOVICO Oh, nichts. Ein grünes Futteral wäre vielleicht ebensogut gewesen.

VIRGINIA Ich glaube, alle sind sehr zufrieden mit Vater. 10

LUDOVICO Und ich glaube, ich fange an, etwas von Wissenschaft zu verstehen.

3

⌜10. Januar 1610⌝ Vermittels des Fernrohrs entdeckt Galilei am Himmel Erscheinungen, welche das kopernikanische System beweisen. Von seinem Freund vor den möglichen Folgen seiner Forschungen gewarnt, bezeugt Galilei seinen Glauben an die menschliche Vernunft.

Sechzehnhundertzehn, zehnter Januar:
Galileo Galilei sah, daß kein Himmel war.

Studierzimmer des Galilei in Padua. Nacht. Galilei und Sagredo, in dicke Mäntel gehüllt, am Fernrohr.

SAGREDO *durch das Fernrohr schauend, halblaut:* Der Sichelrand ist ganz unregelmäßig, zackig und rauh. Auf dem dunklen Teil, in der Nähe des leuchtenden Rands, sind leuchtende Punkte. Sie treten einer nach dem anderen hervor. Von diesen Punkten aus ergießt sich das Licht, wachsend über immer weitere Flächen, wo es zusammenfließt mit dem größeren leuchtenden Teil.
GALILEI Wie erklärst du dir diese leuchtenden Punkte?
SAGREDO Es kann nicht sein.
GALILEI Doch. Es sind Berge.
SAGREDO Auf einem Stern?
GALILEI Riesenberge. Deren Spitzen die aufgehende Sonne vergoldet, während rings Nacht auf den Abhängen liegt. Du siehst das Licht von den höchsten Gipfeln in die Täler niedersteigen.
SAGREDO Aber das widerspricht aller Astronomie von zwei Jahrtausenden.
GALILEI So ist es. Was du siehst, hat noch kein Mensch gesehen, außer mir. Du bist der zweite.
SAGREDO Aber der Mond kann keine Erde sein mit Bergen und Tälern, so wenig die Erde ein Stern sein kann.

GALILEI Der Mond kann eine Erde sein mit Bergen und Tälern, und die Erde kann ein Stern sein. Ein gewöhnlicher Himmelskörper, einer unter Tausenden. Sieh noch einmal hinein. Siehst du den verdunkelten Teil des Mondes ganz dunkel?

SAGREDO Nein. Jetzt, wo ich darauf achtgebe, sehe ich ein schwaches, aschfarbenes Licht darauf ruhen.

GALILEI Was kann das für ein Licht sein?

SAGREDO ?

GALILEI Das ist von der Erde.

SAGREDO Das ist Unsinn. Wie soll die Erde leuchten, mit ihren Gebirgen und Wäldern und Gewässern, ein kalter Körper?

GALILEI So wie der Mond leuchtet. Weil die beiden Sterne angeleuchtet sind von der Sonne, darum leuchten sie. Was der Mond uns ist, das sind wir dem Mond. Und er sieht uns einmal als Sichel, einmal als Halbkreis, einmal voll und einmal nicht.

SAGREDO So wäre kein Unterschied zwischen Mond und Erde?

GALILEI Offenbar nein.

SAGREDO Vor noch nicht zehn Jahren ist ein Mensch in Rom verbrannt worden. Er hieß Giordano Bruno und hatte eben das behauptet.

GALILEI Gewiß. Und wir sehen es. Laß dein Auge am Rohr, Sagredo. Was du siehst, ist, daß es keinen Unterschied zwischen Himmel und Erde gibt. Heute ist der 10. Januar 1610. Die Menschheit trägt in ihr ⌜Journal⌝ ein: Himmel abgeschafft.

SAGREDO Das ist furchtbar.

GALILEI Ich habe noch eine Sache entdeckt. Sie ist vielleicht noch erstaunlicher.

SARTI *herein:* Der Kurator.

Der Kurator stürzt herein.

DER KURATOR Entschuldigen Sie die späte Stunde. Ich

wäre Ihnen verpflichtet, wenn ich mit Ihnen allein sprechen könnte.

GALILEI Herr Sagredo kann alles hören, was ich hören kann, Herr Priuli.

DER KURATOR Aber es wird Ihnen vielleicht doch nicht angenehm sein, wenn der Herr hört, was vorgefallen ist. Es ist leider etwas ganz und gar Unglaubliches.

GALILEI Herr Sagredo ist es gewohnt, in meiner Gegenwart Unglaublichem zu begegnen, wissen Sie.

DER KURATOR Ich fürchte, ich fürchte. *Auf das Fernrohr zeigend.* Da ist ja das famose Ding. Das Ding können Sie gradesogut wegwerfen. Es ist nichts damit, absolut nichts.

SAGREDO *der unruhig herumgegangen war:* Wieso?

DER KURATOR Wissen Sie, daß man diese Ihre Erfindung, die Sie als Frucht einer siebzehnjährigen Forschertätigkeit bezeichnet haben, an jeder Straßenecke Italiens für ein paar Skudi kaufen kann? Und zwar hergestellt in Holland? In diesem Augenblick lädt im Hafen ein holländischer Frachter 500 Fernrohre aus!

GALILEI Tatsächlich?

DER KURATOR Ich verstehe nicht Ihre Ruhe, Herr.

SAGREDO Was bekümmert Sie eigentlich? Lassen Sie sich erzählen, daß Herr Galilei vermittels dieses Instruments in eben diesen Tagen umwälzende Entdeckungen die Gestirnwelt betreffend gemacht hat.

GALILEI *lachend:* Sie können durchsehen, Priuli.

DER KURATOR So lassen Sie sich erzählen, daß mir die Entdeckung genügt, die ich als der Mann, der für diesen Schund Herrn Galilei eine Gehaltsverdoppelung verschafft hat, gemacht habe. Es ist ein reiner Zufall, daß die Herren von der Signoria, die im Glauben, in diesem Instrument der Republik etwas zu sichern, was nur hier hergestellt werden kann, nicht beim ersten Durchblikken an der nächsten Straßenecke, siebenmal vergrößert,

einen gewöhnlichen Straßenhändler erblickt haben, der eben dieses Rohr für ein Butterbrot verkauft.
Galilei lacht schallend.

SAGREDO Lieber Herr Priuli, ich kann den Wert dieses Instruments für den Handel vielleicht nicht beurteilen, aber sein Wert für die Philosophie ist so unermeßlich, daß . . .

DER KURATOR Für die Philosophie! Was hat Herr Galilei, der Mathematiker ist, mit der Philosophie zu schaffen? Herr Galilei, Sie haben seinerzeit der Stadt eine sehr anständige ⌜Wasserpumpe erfunden, und Ihre Berieselungsanlage⌝ funktioniert. Die Tuchweber loben Ihre Maschine ebenfalls, wie konnte ich da so was erwarten?

GALILEI Nicht so schnell, Priuli. Die Seewege sind immer noch lang, unsicher und teuer. Es fehlt uns eine Art zuverlässiger Uhr am Himmel. Ein Wegweiser für die Navigation. Nun habe ich Grund zu der Annahme, daß mit dem Fernrohr gewisse Gestirne*, die sehr regelmäßig Bewegungen vollführen, deutlich wahrgenommen werden können. Neue Sternkarten könnten da der Schiffahrt Millionen von Skudi ersparen, Priuli.

Monde des Jupiter

DER KURATOR Lassen Sie's. Ich habe Ihnen schon zuviel zugehört. Zum Dank für meine Freundlichkeit haben Sie mich zum Gelächter der Stadt gemacht. Ich werde im Gedächtnis fortleben als der Kurator, der sich mit einem wertlosen Fernrohr hereinlegen ließ. Sie haben allen Grund zu lachen. Sie haben Ihre 500 Skudi. Ich aber kann Ihnen sagen, und es ist ein ehrlicher Mann, der Ihnen das sagt: mich ekelt diese Welt an! *Er geht, die Tür hinter sich zuschlagend.*

GALILEI In seinem Zorn wird er geradezu sympathisch. Hast du gehört: eine Welt, in der man nicht Geschäfte machen kann, ekelt ihn an!

SAGREDO Hast du gewußt von diesen holländischen Instrumenten?

GALILEI Natürlich, vom Hörensagen. Aber ich habe diesen Filzen* von der Signoria ein doppelt so gutes konstruiert. Wie soll ich arbeiten, mit dem Gerichtsvollzieher in der Stube? Und Virginia braucht wirklich bald eine Aussteuer, sie ist nicht intelligent. Und dann, ich kaufe gern Bücher, nicht nur über Physik, und ich esse gern anständig. Bei gutem Essen fällt mir am meisten ein. Ein verrottetes Zeitalter! Sie haben mir nicht so viel bezahlt wie einem Kutscher, der ihnen die Weinfässer fährt. Vier Klafter* Brennholz für zwei Vorlesungen über Mathematik. Ich habe ihnen jetzt 500 Skudi herausgerissen, aber ich habe auch jetzt noch Schulden, einige sind zwanzig Jahre alt. Fünf Jahre Muße für Forschung, und ich hätte alles bewiesen! Ich werde dir noch etwas anderes zeigen.

Geizhälse

Raummaß für Holz; 1 Klafter = ein Arm voll

SAGREDO *zögert, an das Fernrohr zu gehen:* Ich verspüre beinahe etwas wie Furcht, Galilei.

GALILEI Ich werde dir jetzt einen der milchweiß glänzenden Nebel der Milchstraße vorführen. Sage mir, aus was er besteht!

SAGREDO Das sind Sterne, unzählige.

GALILEI Allein im Sternbild des ⌜Orion⌝ sind es 500 Fixsterne. Das sind ⌜die vielen Welten, die zahllosen anderen, die entfernteren Gestirne, von denen der Verbrannte gesprochen hat⌝. Er hat sie nicht gesehen, er hat sie erwartet!

SAGREDO Aber selbst wenn diese Erde ein Stern ist, so ist es noch ein weiter Weg zu den Behauptungen des Kopernikus, daß sie sich um die Sonne dreht. Da ist kein Gestirn am Himmel, um das ein andres sich dreht. Aber um die Erde dreht sich immer noch der Mond.

GALILEI Sagredo, ich frage mich. Seit vorgestern frage ich mich. Da ist der Jupiter. *Er stellt ihn ein.* Da sind nämlich vier kleinere Sterne nahe bei ihm, die man nur durch das Rohr sieht. Ich sah sie am Montag, nahm aber nicht besondere Notiz von ihrer Position. Gestern sah ich wieder nach. Ich hätte schwören können, alle vier hatten ihre Position geändert. Ich merkte sie mir an. Sie stehen wieder anders. Was ist das? Ich sah doch vier. *In Bewegung.* Sieh du durch! 5

SAGREDO Ich sehe drei.

GALILEI Wo ist der vierte? Da sind die Tabellen. Wir müssen ausrechnen, was für Bewegungen sie gemacht haben können.

Sie setzen sich erregt zur Arbeit. Es wird dunkel auf der Bühne, jedoch sieht man weiter am Rundhorizont den Jupiter und seine Begleitsterne. Wenn es wieder hell wird, sitzen sie immer noch, mit Wintermänteln an. 10

GALILEI Es ist bewiesen. Der vierte kann nur hinter den Jupiter gegangen sein, wo man ihn nicht sieht. Da hast du ein Gestirn, um das ein anderes sich dreht. 15

SAGREDO Aber die Kristallschale, an die der Jupiter angeheftet ist?

GALILEI Ja, wo ist sie jetzt? Wie kann der Jupiter angeheftet sein, wenn andere Sterne um ihn kreisen? Da ist keine Stütze im Himmel, da ist kein Halt im Weltall! Da ist eine andere Sonne*! 20

Planet Jupiter

SAGREDO Beruhige dich. Du denkst zu schnell.

GALILEI Was, schnell! Mensch, reg dich auf! Was du siehst, hat noch keiner gesehen. Sie hatten recht! 25

SAGREDO Wer? Die Kopernikaner?

GALILEI Und der andere! Die ganze Welt war gegen sie, und sie hatten recht. Das ist was für Andrea! *Er läuft außer sich zur Tür und ruft hinaus:* Frau Sarti! Frau Sarti! 30

SAGREDO Galilei, du sollst dich beruhigen!

GALILEI Sagredo, du sollst dich aufregen! Frau Sarti!

SAGREDO *dreht das Fernrohr weg:* Willst du aufhören, wie ein Narr herumzubrüllen?

GALILEI Willst du aufhören, wie ein Stockfisch dazustehen, wenn die Wahrheit entdeckt ist? 35

SAGREDO Ich stehe nicht wie ein Stockfisch, sondern ich zittere, es könnte die Wahrheit sein.

GALILEI Was?

SAGREDO Hast du allen Verstand verloren? Weißt du wirklich nicht mehr, in was für eine Sache du kommst, wenn das wahr ist, was du da siehst? Und du es auf allen Märkten herumschreist: daß die Erde ein Stern ist und nicht der Mittelpunkt des Universums.

GALILEI Ja, und daß nicht das ganze riesige Weltall mit allen Gestirnen sich um unsere winzige Erde dreht, wie jeder sich denken konnte!

SAGREDO Daß da also nur Gestirne sind! – Und wo ist dann Gott?

GALILEI Was meinst du damit?

SAGREDO Gott! ⌜Wo ist Gott?⌝

GALILEI *zornig:* Dort nicht! So wenig wie er hier auf der Erde zu finden ist, wenn dort Wesen sind und ihn hier suchen sollten!

SAGREDO Und wo ist also Gott?

GALILEI Bin ich Theologe? Ich bin Mathematiker.

SAGREDO Vor allem bist du ein Mensch. Und ich frage dich, wo ist Gott in deinem Weltsystem?

GALILEI ⌜In uns oder nirgends.⌝

SAGREDO *schreiend:* Wie der Verbrannte gesagt hat?

GALILEI Wie der Verbrannte gesagt hat.

SAGREDO Darum ist er verbrannt worden! Vor noch nicht zehn Jahren!

GALILEI Weil er nichts beweisen konnte. Weil er es nur behauptet hat. Frau Sarti!

SAGREDO Galilei, ich habe dich immer als einen schlauen Mann gekannt. Siebzehn Jahre in Padua und drei Jahre in Pisa* hast du Hunderte von Schülern geduldig das ptolemäische System gelehrt, das die Kirche verkündet und die Schrift bestätigt, auf der die Kirche beruht. Du hast es für falsch gehalten mit dem Kopernikus, aber du hast es gelehrt.

Galilei lehrt 1589–1592 an der Universität zu Pisa Mathematik.

GALILEI Weil ich nichts beweisen konnte.

SAGREDO *ungläubig:* Und du glaubst, das macht einen Unterschied?

GALILEI Allen Unterschied! Sieh her, Sagredo! Ich glaube an den Menschen, und das heißt, ich glaube an seine Vernunft! Ohne diesen Glauben würde ich nicht die Kraft haben, am Morgen aus meinem Bett aufzustehen.

SAGREDO Dann will ich dir etwas sagen: ich glaube nicht an sie. Vierzig Jahre unter den Menschen haben mich ständig gelehrt, daß sie der Vernunft nicht zugänglich sind. Zeige ihnen einen roten Kometenschweif, jage ihnen eine dumpfe Angst ein, und sie werden aus ihren Häusern laufen und sich die Beine brechen. Aber sage ihnen einen vernünftigen Satz und beweise ihn mit sieben Gründen, und sie werden dich einfach auslachen.

GALILEI Das ist ganz falsch und eine Verleumdung. Ich begreife nicht, wie du, so etwas glaubend, die Wissenschaft lieben kannst. Nur die Toten lassen sich nicht mehr von Gründen bewegen!

SAGREDO Wie kannst du ihre erbärmliche Schlauheit mit Vernunft verwechseln!

GALILEI Ich rede nicht von ihrer Schlauheit. Ich weiß, sie nennen den Esel ein Pferd, wenn sie ihn verkaufen, und das Pferd einen Esel, wenn sie es einkaufen wollen. Das ist ihre Schlauheit. Die Alte, die am Abend vor der Reise dem Maulesel mit der harten Hand ein Extrabüschel Heu vorlegt, der Schiffer, der beim Einkauf der Vorräte des Sturmes und der Windstille gedenkt, das Kind, das die Mütze aufstülpt, wenn ihm bewiesen wurde, daß es regnen kann, sie alle sind meine Hoffnung, sie alle lassen Gründe gelten. Ja, ich glaube an die sanfte Gewalt der Vernunft über die Menschen. Sie können ihr auf die Dauer nicht widerstehen. Kein Mensch kann lange zusehen, wie ich *er läßt aus der Hand einen Stein auf den Boden fallen* einen Stein fallen lasse und dazu sage: er

fällt nicht. Dazu ist kein Mensch imstande. Die Verführung, die von einem Beweis ausgeht, ist zu groß. Ihr erliegen die meisten, auf die Dauer alle. Das Denken gehört zu den größten Vergnügungen der menschlichen
5 Rasse.

FRAU SARTI *tritt ein:* Brauchen Sie etwas, Herr Galilei?

GALILEI *der wieder an seinem Fernrohr ist und Notizen macht, sehr freundlich:* Ja, ich brauche den Andrea.

FRAU SARTI Andrea? Er liegt im Bett und schläft.

10 GALILEI Können Sie ihn nicht wecken?

FRAU SARTI Wozu brauchen Sie ihn denn?

GALILEI Ich will ihm etwas zeigen, was ihn freuen wird. Er soll etwas sehen, was noch kein Mensch gesehen hat, seit die Erde besteht, außer uns.

15 FRAU SARTI Etwa wieder etwas durch Ihr Rohr?

GALILEI Etwas durch mein Rohr, Frau Sarti.

FRAU SARTI Und darum soll ich ihn mitten in der Nacht aufwecken? Sind Sie denn bei Trost? Er braucht seinen Nachtschlaf. Ich denke nicht daran, ihn aufzuwecken.

20 GALILEI Bestimmt nicht?

FRAU SARTI Bestimmt nicht.

GALILEI Frau Sarti, vielleicht können dann Sie mir helfen. Sehen Sie, es ist eine Frage entstanden, über die wir uns nicht einig werden können, wahrscheinlich, weil wir zu
25 viele Bücher gelesen haben. Es ist eine Frage über den Himmel, eine Frage die Gestirne betreffend. Sie lautet: ist es anzunehmen, daß das Große sich um das Kleine dreht, oder dreht wohl das Kleine sich um das Große?

FRAU SARTI *mißtrauisch:* Mit Ihnen kennt man sich nicht
30 leicht aus, Herr Galilei. Ist das eine ernsthafte Frage, oder wollen Sie mich wieder einmal zum besten haben?

GALILEI Eine ernste Frage.

FRAU SARTI Dann können Sie schnell Antwort haben. Stelle ich Ihnen das Essen hin, oder stellen Sie es mir hin?

35 GALILEI Sie stellen es mir hin. Gestern war es angebrannt.

FRAU SARTI Und warum war es angebrannt? Weil ich Ihnen die Schuhe bringen mußte, mitten im Kochen. Habe ich Ihnen nicht die Schuhe gebracht?

GALILEI Vermutlich.

FRAU SARTI Sie sind es nämlich, der studiert hat und der bezahlen kann.

GALILEI Ich sehe. Ich sehe, da ist keine Schwierigkeit. Guten Morgen, Frau Sarti.

Frau Sarti belustigt ab.

GALILEI Und solche Leute sollen nicht die Wahrheit begreifen können? Sie schnappen danach!

Eine Frühmetteglocke hat begonnen zu bimmeln. Herein Virginia, im Mantel, ein Windlicht tragend.

VIRGINIA Guten Morgen, Vater.

GALILEI Warum bist du schon auf?

VIRGINIA Ich gehe mit Frau Sarti zur Frühmette. Ludovico kommt auch hin. Wie war die Nacht, Vater?

GALILEI Hell.

VIRGINIA Darf ich durchschauen?

GALILEI Warum? *Virginia weiß keine Antwort.* Es ist kein Spielzeug.

VIRGINIA Nein, Vater.

GALILEI Übrigens ist das Rohr eine Enttäuschung, das wirst du bald überall zu hören bekommen. Es wird für 3 Skudi auf der Gasse verkauft und ist in Holland schon erfunden gewesen.

VIRGINIA Hast du nichts Neues mehr am Himmel mit ihm gesehen?

GALILEI Nichts für dich. Nur ein paar kleine trübe Fleckchen an der linken Seite eines großen Sterns, ich werde irgendwie die Aufmerksamkeit auf sie lenken müssen. *Über seine Tochter zu Sagredo sprechend:* Vielleicht werde ich sie ⌜die »Mediceischen Gestirne«⌝ taufen, nach dem Großherzog von Florenz. *Wieder zu Virginia:* Es wird dich interessieren, Virginia, daß wir vermutlich nach Florenz ziehen. Ich habe einen Brief dorthin geschrieben, ob der Großherzog mich als Hofmathematiker brauchen kann.

VIRGINIA *strahlend:* Am Hof?

SAGREDO Galilei!

GALILEI Mein Lieber, ich brauche Muße. Ich brauche Beweise. Und ich will die Fleischtöpfe. Und in diesem Amt werde ich nicht Privatschülern das ptolemäische System einpauken müssen, sondern die Zeit haben, Zeit, Zeit, Zeit, Zeit! meine Beweise auszuarbeiten, denn es genügt nicht, was ich jetzt habe. Das ist nichts, kümmerliches Stückwerk! Damit kann ich mich nicht vor die ganze Welt stellen. Das ist noch kein einziger Beweis, daß sich irgendein Himmelskörper um die Sonne dreht. Aber ich werde Beweise dafür bringen, Beweise für jedermann, von Frau Sarti bis hinauf zum Papst. Meine einzige Sorge ist, daß der Hof mich nicht nimmt.

VIRGINIA Sicher wird man dich nehmen, Vater, mit den neuen Sternen und allem.

GALILEI Geh in deine Messe.

Virginia ab.

GALILEI Ich schreibe selten Briefe an große Persönlichkeiten. *Er gibt Sagredo einen Brief.* Glaubst du, daß ich es so gut gemacht habe?

SAGREDO *liest laut das Ende des Briefes, den ihm Galilei gereicht hat:* »Sehne ich mich doch nach nichts so sehr, als Euch näher zu sein, der aufgehenden Sonne, welche dieses Zeitalter erhellen wird.« ⌜Der Großherzog von Florenz ist neun Jahre alt.⌝

GALILEI So ist es. Ich sehe, du findest meinen Brief zu unterwürfig? Ich frage mich, ob er unterwürfig genug ist, nicht zu formell, als ob es mir doch an echter Ergebenheit fehlte. Einen zurückhaltenden Brief könnte jemand schreiben, der sich das Verdienst erworben hätte, den Aristoteles zu beweisen, nicht ich. Ein Mann wie ich kann nur auf dem Bauch kriechend in eine halbwegs würdige Stellung kommen. Und du weißt, ich verachte Leute, deren Gehirn nicht fähig ist, ihren Magen zu füllen.

Frau Sarti und Virginia gehen, an den Männern vorbei, zur Messe.

SAGREDO Geh nicht nach Florenz, Galilei.

GALILEI Warum nicht?

SAGREDO ⌜Weil die Mönche dort herrschen.⌝

GALILEI Am Florentiner Hof sind Gelehrte von Ruf.

SAGREDO Lakaien.

GALILEI Ich werde sie bei den Köpfen nehmen und sie vor das Rohr schleifen. Auch die Mönche sind Menschen, Sagredo. Auch sie erliegen der Verführung der Beweise. Der Kopernikus, vergiß das nicht, hat verlangt, daß sie seinen Zahlen glauben, aber ich verlange nur, daß sie ihren Augen glauben. Wenn die Wahrheit zu schwach ist, sich zu verteidigen, muß sie zum Angriff übergehen. Ich werde sie bei den Köpfen nehmen und sie zwingen, durch dieses Rohr zu schauen.

SAGREDO Galilei, ich sehe dich auf einer furchtbaren Straße. Das ist eine Nacht des Unglücks, wo der Mensch die Wahrheit sieht. Und eine Stunde der Verblendung, wo er an die Vernunft des Menschengeschlechts glaubt. Von wem sagt man, daß ⌜er sehenden Auges geht⌝? Von dem, der ins Verderben geht. Wie könnten die Mächtigen einen frei herumlaufen lassen, der die Wahrheit weiß, und sei es eine über die entferntesten Gestirne! Meinst du, der Papst hört deine Wahrheit, wenn du sagst, er irrt, und hört nicht, daß er irrt? Glaubst du, er wird einfach in sein Tagebuch einschreiben: 10. Januar 1610 – Himmel abgeschafft? Wie kannst du aus der Republik gehen wollen, die Wahrheit in der Tasche, in die Fallen der Fürsten und Mönche mit deinem Rohr in der Hand? So mißtrauisch in deiner Wissenschaft, bist du leichtgläubig wie ein Kind in allem, was dir ihr Betreiben zu erleichtern scheint. Du glaubst nicht an den Aristoteles, aber an den Großherzog von Florenz. Als ich dich vorhin am Rohr sah und du sahst diese neuen Sterne, da war es mir, als sähe ich dich auf brennenden Scheiten stehen, und als du sagtest, du glaubst an die Beweise, roch ich verbranntes Fleisch. Ich liebe die Wissenschaft, aber mehr dich, meinen Freund. Geh nicht nach Florenz, Galilei!

GALILEI Wenn sie mich nehmen, gehe ich.

Auf einem Vorhang erscheint die letzte Seite des Briefes:

⌜Wenn ich den neuen Sternen, die ich entdeckt habe, den erhabenen Namen des Mediceischen Geschlechts zuteile, so bin ich mir bewußt, daß den Göttern und Heroen die Erhebung in den Sternenhimmel zur Verherrlichung gereicht hat, daß aber in diesem Fall umgekehrt der erhabene Name der Medici den Sternen unsterbliches Gedächtnis sichern wird. Ich aber bringe mich Euch in Erinnerung als einen aus der Zahl der treuesten und ergebensten Diener, der sich zur höchsten Ehre anrechnet, als Euer Untertan geboren zu sein.
Sehne ich mich doch nach nichts so sehr, als Euch näher zu sein, der aufgehenden Sonne, welche dieses Zeitalter erhellen wird.⌝

Galileo Galilei

4
Galilei hat die Republik Venedig mit dem Florentiner Hof vertauscht. Seine Entdeckungen durch das Fernrohr stoßen in der dortigen Gelehrtenwelt auf Unglauben.

Das Alte sagt: So wie ich bin, bin ich seit je.
Das Neue sagt: Bist du nicht gut, dann geh.

Haus des Galilei in Florenz. Frau Sarti trifft in Galileis Studierzimmer Vorbereitungen zum Empfang von Gästen. Ihr Sohn Andrea sitzt und räumt Sternkarten auf.

FRAU SARTI Seit wir glücklich in diesem gepriesenen Florenz sind, hört das Buckeln und ⌜Speichellecken⌝ nicht mehr auf. Die ganze Stadt zieht an diesem Rohr vorbei, und ich kann dann den Fußboden aufwischen. Und nichts wird es helfen! Wenn was dran wäre an diesen Entdeckungen, würden das doch die geistlichen Herren am ehesten wissen. Ich war vier Jahre bei Monsignore* Filippo im Dienst und habe seine Bibliothek nie ganz abstauben können. Lederbände bis zur Decke und keine Gedichtchen! Und der gute Monsignore hatte zwei Pfund Geschwüre am Hintern vom vielen Sitzen über all der Wissenschaft, und ein solcher Mann soll nicht Bescheid wissen? Und die große Besichtigung heute wird eine Blamage, daß ich morgen wieder nicht dem Milchmann ins Gesicht schauen kann. Ich wußte, was ich sagte, als ich ihm riet, den Herren zuerst ein gutes Abendessen vorzusetzen, ein ordentliches Stück Lammfleisch, bevor sie über sein Rohr gehen. Aber nein! *Sie ahmt Galilei nach.* »Ich habe etwas anderes für sie.«
Es klopft unten.
FRAU SARTI *schaut in den Spion am Fenster:* Um Gottes

*Monsignore: Titel und Anrede hoher Geistlicher

willen, da ist schon der Großherzog. Und Galilei ist noch in der Universität! *Sie läuft die Treppe hinunter und läßt den Großherzog von Toscana, ⌜Cosmo de Medici⌝, mit dem Hofmarschall und zwei Hofdamen ein.*

5 COSMO Ich will das Rohr sehen.

DER HOFMARSCHALL Vielleicht gedulden sich Eure Hoheit, bis Herr Galilei und die anderen Herren von der Universität gekommen sind. *Zu Frau Sarti:* Herr Galilei wollte die von ihm neu entdeckten und de Mediceischen
10 genannten Sterne von den Herren Astronomen prüfen lassen.

COSMO Sie glauben nicht an das Rohr, gar nicht. Wo ist es denn?

FRAU SARTI Oben, im Arbeitszimmer.

15 *Der Knabe nickt, zeigt die Treppe hinauf, und auf ein Nicken Frau Sartis läuft er hoch.*

DER HOFMARSCHALL *ein sehr alter Mann:* Eure Hoheit! *Zu Frau Sarti:* Muß man da hinauf? Ich bin nur mitgekommen, weil der Erzieher erkrankt ist.

20 FRAU SARTI Dem jungen Herrn kann nichts passieren. Mein Junge ist droben.

COSMO *oben eintretend:* Guten Abend.

Die Knaben verbeugen sich zeremoniell voreinander. Pause. Dann wendet sich Andrea wieder seiner Arbeit
25 *zu.*

ANDREA *sehr ähnlich seinem Lehrer:* Hier geht es zu wie in einem Taubenschlag.

COSMO Viele Besucher?

ANDREA Stolpern hier herum, gaffen und verstehen nicht
30 die Bohne.

COSMO Verstehe. Ist das ...? *Zeigt auf das Rohr.*

ANDREA Ja, das ist es. Aber da heißt es: Finger weg.

COSMO Und was ist das? *Er deutet auf das Holzmodell des ptolemäischen Systems.*

35 ANDREA Das ist das ptolemäische.

COSMO Das zeigt, wie die Sonne sich dreht, nicht?

ANDREA Ja, das sagt man.

COSMO *sich auf einen Stuhl setzend, nimmt es auf den Schoß:* Mein Lehrer ist erkältet. Da konnte ich früher weg. Angenehm hier. 5

ANDREA *unruhig, geht schlendernd und unschlüssig, den fremden Jungen mißtrauisch anschauend, herum und fischt endlich, unfähig, der Versuchung länger zu widerstehen, ein zweites Holzmodell hinter Karten hervor, eine Darstellung des kopernikanischen Systems:* Aber in Wirklichkeit ist es natürlich so. 10

COSMO Was ist so?

ANDREA *auf Cosmos Modell zeigend:* So meint man, daß es ist, und so *auf seines deutend* ist es. Die Erde dreht sich um die Sonne, verstehen Sie? 15

COSMO Meinst du wirklich?

ANDREA Allerdings. Das ist bewiesen.

COSMO Tatsächlich? – Ich möchte wissen, warum sie mich zum Alten überhaupt nicht mehr hineinließen. Gestern war er noch bei der Abendtafel. 20

ANDREA Sie scheinen es nicht zu glauben, was?

COSMO Doch, natürlich.

ANDREA *plötzlich auf das Modell in Cosmos Schoß zeigend:* Gib das her, du verstehst ja nicht einmal das!

COSMO Du brauchst doch nicht zwei. 25

ANDREA Du sollst es hergeben. Das ist kein Spielzeug für Jungens.

COSMO Ich habe nichts dagegen, es dir zu geben, aber du müßtest ein wenig höflicher sein, weißt du.

ANDREA Du bist ein Dummkopf, und höflich hin oder her, 30 raus damit, sonst setzt's was.

COSMO Laß die Finger weg, hörst du.

Sie beginnen zu raufen und kugeln sich bald auf dem Boden.

ANDREA Ich werde dir schon zeigen, wie man ein Modell 35 behandelt. Ergib dich!

COSMO Jetzt ist es entzweigegangen. Du drehst mir die Hand um.
ANDREA Wir werden schon sehen, wer recht hat und wer nicht. Sag, sie dreht sich, sonst gibt's Kopfnüsse.
5 COSMO Niemals. Au, du Rotkopf! Ich werde dir Höflichkeit beibringen.
ANDREA Rotkopf? Bin ich ein Rotkopf?
Sie raufen schweigend weiter.
Unten treten Galilei und einige Professoren der Universität ein. Hinter ihnen Federzoni.
10
DER HOFMARSCHALL Meine Herren, eine leichte Erkrankung hielt den Erzieher Seiner Hoheit, Herrn Suri, ab, Seine Hoheit hierher zu begleiten.
DER THEOLOGE Hoffentlich nichts Schlimmes.
15 DER HOFMARSCHALL Ganz und gar nicht.
GALILEI *enttäuscht:* Seine Hoheit nicht hier?
DER HOFMARSCHALL Seine Hoheit ist oben. Bitte die Herren, sich nicht aufhalten zu wollen. Der Hof ist so überaus begierig, die Meinung der erlauchten Universität
20 über das außerordentliche Instrument Herrn Galileis und die wunderbaren neuen Gestirne kennenzulernen.
Sie gehen nach oben.
Die Knaben liegen jetzt still. Sie haben unten Lärm gehört.
25 COSMO Sie sind da. Laß mich auf.
Sie stehen schnell auf.
DIE HERREN *im Hinaufgehen:* Nein, nein, es ist alles in schönster Ordnung. – Die Medizinische Fakultät erklärt es für ausgeschlossen, daß es sich bei den Erkrankungen
30 in der Altstadt um Pestfälle handeln könnte. Die Miasmen* müßten bei der jetzt herrschenden Temperatur erfrieren. – Das schlimmste in solchen Fällen ist immer Panik. – Nichts als die in dieser Jahreszeit üblichen Erkältungswellen. – Jeder Verdacht ist ausgeschlossen. –
35 Alles in schönster Ordnung.

Giftige Ausdünstungen der Erde

Begrüßung oben.

GALILEI Eure Hoheit, ich bin glücklich, in Eurer Gegenwart die Herren Eurer Universität mit den Neuerungen bekannt machen zu dürfen.

Cosmo verbeugt sich sehr formell nach allen Seiten, auch vor Andrea. 5

DER THEOLOGE *das zerbrochene ptolemäische Modell am Boden sehend:* Hier scheint etwas entzweigegangen.

Cosmo bückt sich rasch und übergibt Andrea höflich das Modell. Inzwischen räumt Galilei verstohlen das 10 *andere Modell beiseite.*

GALILEI *am Fernrohr:* Wie Eure Hoheit zweifellos wissen, sind wir Astronomen seit einiger Zeit mit unseren Berechnungen in große Schwierigkeiten gekommen. Wir benützen dafür ein sehr altes System, das sich in Über- 15 einstimmung mit der Philosophie, aber leider nicht mit den Fakten zu befinden scheint. Nach diesem alten System, dem ptolemäischen, werden die Bewegungen der Gestirne als äußerst verwickelt angenommen. Der Planet Venus zum Beispiel soll eine Bewegung von dieser 20 Art vollführen. *Er zeichnet auf eine Tafel die ⌜epizyklische Bahn⌝ der Venus nach der ptolemäischen Annahme.* Aber selbst solche schwierigen Bewegungen annehmend, sind wir nicht in der Lage, die Stellung der Gestirne richtig vorauszuberechnen. Wir finden sie 25 nicht an den Orten, wo sie eigentlich sein müßten. Dazu kommen solche Gestirnbewegungen, für welche das ptolemäische System überhaupt keine Erklärung hat. Bewegungen dieser Art scheinen mir einige von mir neu entdeckte kleine Sterne um den Planeten Jupiter zu voll- 30 führen. Ist es den Herren angenehm, mit einer Besichtigung der Jupitertrabanten zu beginnen, der Mediceischen Gestirne?

ANDREA *auf den Hocker vor dem Fernrohr zeigend:* Bitte, sich hier zu setzen. 35

DER PHILOSOPH Danke, mein Kind. Ich fürchte, das alles ist nicht ganz so einfach. Herr Galilei, bevor wir Ihr berühmtes Rohr applizieren*, möchten wir um das Vergnügen eines Disputs bitten. Thema: Können solche Planeten existieren?

Anwenden

DER MATHEMATIKER Eines formalen Disputs.

GALILEI Ich dachte mir, Sie schauen einfach durch das Fernrohr und überzeugen sich?

ANDREA Hier, bitte.

DER MATHEMATIKER Gewiß, gewiß. – Es ist Ihnen natürlich bekannt, daß nach der Ansicht der Alten Sterne nicht möglich sind, die um einen anderen Mittelpunkt als die Erde kreisen, noch solche Sterne, die im Himmel keine Stütze haben?

GALILEI Ja.

DER PHILOSOPH Und, ganz absehend von der Möglichkeit solcher Sterne, die der Mathematiker *er verbeugt sich gegen den Mathematiker* zu bezweifeln scheint, möchte ich in aller Bescheidenheit als Philosoph die Frage aufwerfen: sind solche Sterne nötig? Aristotelis divini universum ...*

Das Weltall des göttlichen Aristoteles

GALILEI Sollten wir nicht in der Umgangssprache fortfahren? Mein Kollege, Herr Federzoni, versteht Latein nicht.

DER PHILOSOPH Ist es von Wichtigkeit, daß er uns versteht?

GALILEI Ja.

DER PHILOSOPH Entschuldigen Sie mich. Ich dachte, er ist Ihr Linsenschleifer.

ANDREA Herr Federzoni ist ein Linsenschleifer und ein Gelehrter.

DER PHILOSOPH Danke, mein Kind. Wenn Herr Federzoni darauf besteht ...

GALILEI Ich bestehe darauf.

DER PHILOSOPH Das Argument wird an Glanz verlieren,

aber es ist Ihr Haus. – Das Weltbild des göttlichen Aristoteles mit seinen mystisch ⌜musizierenden Sphären⌝ und kristallenen Gewölben und den Kreisläufen seiner Himmelskörper und dem Schiefenwinkel der Sonnenbahn und den Geheimnissen der ⌜Satellitentafeln⌝ und dem Sternenreichtum ⌜des Katalogs⌝ der südlichen Halbkugel und der erleuchteten Konstruktion des celestialen Globus* ist ein Gebäude von solcher Ordnung und Schönheit, daß wir wohl zögern sollten, diese Harmonie zu stören.

Himmelskugel

GALILEI Wie, wenn Eure Hoheit die sowohl unmöglichen als auch unnötigen Sterne nun durch dieses Fernrohr wahrnehmen würden?

DER MATHEMATIKER Man könnte versucht sein zu antworten, daß Ihr Rohr, etwas zeigend, was nicht sein kann, ein nicht sehr verläßliches Rohr sein müßte, nicht?

GALILEI Was meinen Sie damit?

DER MATHEMATIKER Es wäre doch viel förderlicher, Herr Galilei, wenn Sie uns die Gründe nennten, die Sie zu der Annahme bewegen, daß in der höchsten Sphäre des unveränderlichen Himmels Gestirne freischwebend in Bewegung sein können.

DER PHILOSOPH ⌜Gründe, Herr Galilei, Gründe!⌝

GALILEI Die Gründe? Wenn ein Blick auf die Gestirne selber und meine Notierungen das Phänomen* zeigen? Mein Herr, der Disput wird abgeschmackt.

Erscheinung

DER MATHEMATIKER Wenn man sicher wäre, daß Sie sich nicht noch mehr erregten, könnte man sagen, daß, ⌜was in Ihrem Rohr ist und was am Himmel ist, zweierlei sein kann⌝.

DER PHILOSOPH Das ist nicht höflicher auszudrücken.

FEDERZONI Sie denken, wir malten die Mediceischen Sterne auf die Linse!

GALILEI Sie werfen mir Betrug vor?

Suhrkamp BasisBibliothek

Text und Kommentar
in einem Band

Leitfaden für die Benutzung der Suhrkamp BasisBibliothek

[*] Die mit einem Stern markierten Wörter im Text (Eigennamen, Begriffe, fremdsprachige Wendungen sowie sprachlich ungeläufige Formen) werden in der Marginalspalte am Außenrand kurz erläutert.

[⌜ ⌝] Zu den mit Häkchen gekennzeichneten Textpassagen finden sich die jeweiligen Wort- und Sacherklärungen im Kommentarteil.

[Innenrand] Im Innenrand läuft eine Zeilenzählung, die das Auffinden von Textstellen erleichtert.

[Fußzeile] Die Fußzeile zeigt dem Leser an, in welchem Textabschnitt oder in welchem Teil des Kommentars er sich gerade befindet.

»›Text und Kommentar‹ versprechen die bunten Taschenbücher, mit denen ich in der Schule glücklich gewesen wäre.« Rolf Michaelis, Die Zeit

Alle Bände der Reihe finden Sie unter
www.suhrkamp.de/basisbibliothek

© Suhrkamp 3/2020 (978-3-518-91487-8) www.suhrkamp.de

DER PHILOSOPH Aber wie könnten wir das? In Anwesenheit Seiner Hoheit!
DER MATHEMATIKER Ihr Instrument, mag man es nun Ihr Kind, mag man es Ihren Zögling nennen, ist sicher äußerst geschickt gemacht, kein Zweifel!
DER PHILOSOPH Und wir sind vollkommen überzeugt, Herr Galilei, daß weder Sie noch sonst jemand es wagen würde, Sterne mit dem erlauchten Namen des Herrscherhauses zu schmücken, deren Existenz nicht über alle Zweifel erhaben wäre.
Alle verbeugen sich tief vor dem Großherzog.
COSMO *sieht sich nach den Hofdamen um:* Ist etwas nicht in Ordnung mit meinen Sternen?
DIE ÄLTERE HOFDAME *zum Großherzog:* Es ist alles in Ordnung mit den Sternen Eurer Hoheit. Die Herren fragen sich nur, ob sie auch wirklich, wirklich da sind.
Pause.
DIE JÜNGERE HOFDAME Man soll ja jedes Rad am Großen Wagen sehen können durch das Instrument.
FEDERZONI Ja, und alles mögliche am Stier.
GALILEI Werden die Herren nun also durchschauen oder nicht?
DER PHILOSOPH Sicher, sicher.
DER MATHEMATIKER Sicher.
Pause. Plötzlich wendet sich Andrea um und geht steif ab durch den ganzen Raum. Seine Mutter fängt ihn auf.
FRAU SARTI Was ist los mit dir?
ANDREA Sie sind dumm. *Er reißt sich los und läuft weg.*
DER PHILOSOPH Bedauernswertes Kind.
DER HOFMARSCHALL Eure Hoheit, meine Herren, darf ich daran erinnern, daß der Staatsball in dreiviertel Stunden beginnt?
DER MATHEMATIKER Warum einen Eiertanz aufführen? Früher oder später wird Herr Galilei sich doch noch mit den Tatsachen befreunden müssen. Seine Jupiterplane-

ten würden die Sphärenschale durchstoßen. Es ist ganz einfach.

FEDERZONI Sie werden sich wundern: es gibt keine Sphärenschale.

DER PHILOSOPH Jedes Schulbuch wird Ihnen sagen, daß es sie gibt, mein guter Mann. 5

FEDERZONI Dann her mit neuen Schulbüchern.

DER PHILOSOPH Eure Hoheit, mein verehrter Kollege und ich stützen uns auf die Autorität keines Geringeren als des göttlichen Aristoteles selber. 10

GALILEI *fast unterwürfig:* Meine Herren, der Glaube an die Autorität des Aristoteles ist eine Sache, Fakten, die mit Händen zu greifen sind, eine andere. Sie sagen, nach dem Aristoteles gibt es dort oben Kristallschalen, und so können gewisse Bewegungen nicht stattfinden, weil die 15 Gestirne die Schale durchstoßen müßten. Aber wie, wenn Sie diese Bewegungen konstatieren könnten? Vielleicht sagt Ihnen das, daß es diese Kristallschalen gar nicht gibt? Meine Herren, ich ersuche Sie in aller Demut, Ihren Augen zu trauen. 20

DER MATHEMATIKER Lieber Galilei, ich pflege mitunter, so altmodisch es Ihnen erscheinen mag, den Aristoteles zu lesen und kann Sie dessen versichern, daß ich da meinen Augen traue.

GALILEI Ich bin es gewohnt, die Herren aller Fakultäten 25 sämtlichen Fakten gegenüber die Augen schließen zu sehen und so zu tun, als sei nichts geschehen. Ich zeige meine Notierungen, und man lächelt, ich stelle mein Fernrohr zur Verfügung, daß man sich überzeugen kann, und man zitiert Aristoteles. ⌜Der Mann hatte kein 30 Fernrohr!⌝

DER MATHEMATIKER Allerdings nicht, allerdings nicht.

DER PHILOSOPH *groß:* Wenn hier Aristoteles in den Kot gezogen werden soll, eine Autorität, welche nicht nur die gesamte Wissenschaft der Antike, sondern auch die 35

Hohen Kirchenväter selber anerkannten, so scheint jedenfalls mir eine Fortsetzung der Diskussion überflüssig. Unsachliche Diskussion lehne ich ab. Basta.

GALILEI ⌜Die Wahrheit ist das Kind der Zeit⌝, nicht der Autorität. Unsere Unwissenheit ist unendlich, tragen wir einen Kubikmillimeter ab! Wozu jetzt noch so klug sein wollen, wenn wir endlich ein klein wenig weniger dumm sein können! Ich habe das unvorstellbare Glück gehabt, ein neues Instrument in die Hand zu bekommen, mit dem man ein Zipfelchen des Universums etwas, nicht viel, näher besehen kann. Benützen Sie es.

DER PHILOSOPH Eure Hoheit, meine Damen und Herren, ich frage mich nur, wohin dies alles führen soll.

GALILEI Ich würde meinen, als Wissenschaftler haben wir uns nicht zu fragen, wohin die Wahrheit uns führen mag.

DER PHILOSOPH *wild:* Herr Galilei, die Wahrheit mag uns zu allem möglichen führen!

GALILEI Eure Hoheit. In diesen Nächten werden über ganz Italien Fernrohre auf den Himmel gerichtet. Die Monde des Jupiter verbilligen nicht die Milch. Aber sie wurden nie je gesehen, und es gibt sie doch. Daraus zieht der Mann auf der Straße den Schluß, daß es noch vieles geben könnte, wenn er nur seine Augen aufmachte! Ihr seid ihm eine Bestätigung schuldig! Es sind nicht die Bewegungen einiger entfernter Gestirne, die Italien aufhorchen machen, sondern die Kunde, daß für unerschütterlich angesehene Lehren ins Wanken gekommen sind, und jedermann weiß, daß es deren zu viele gibt. Meine Herren, lassen Sie uns nicht erschütterte Lehren verteidigen!

FEDERZONI Ihr als die Lehrer solltet das Erschüttern besorgen.

DER PHILOSOPH Ich wünschte, Ihr Mann offerierte* nicht Ratschläge in einem wissenschaftlichen Disput.

Anbieten

GALILEI Eure Hoheit! Mein Werk in dem Großen Arsenal von Venedig brachte mich täglich zusammen mit Zeichnern, Bauleuten und Instrumentenmachern. Diese Leute haben mich manchen neuen Weg gelehrt. Unbelesen verlassen sie sich auf das Zeugnis ihrer fünf Sinne, furchtlos zumeist, wohin dies Zeugnis sie führen wird . . .

DER PHILOSOPH Oho!

GALILEI Sehr ähnlich unsern Seeleuten, die vor hundert Jahren unsere Küsten verließen, ohne zu wissen, was für andere Küsten sie erreichen würden, wenn überhaupt welche. Es scheint, daß man heute, um die hohe Neugierde zu finden, die den wahren Ruhm des alten Griechenland ausmachte, sich in die Schiffswerften begeben muß.

DER PHILOSOPH Nach allem, was wir hier gehört haben, zweifle ich nicht länger, daß Herr Galilei in den Schiffswerften Bewunderer finden wird.

DER HOFMARSCHALL Eure Hoheit, zu meiner Bestürzung stelle ich fest, daß sich die außerordentlich belehrende Unterhaltung ein wenig ausgedehnt hat. Seine Hoheit muß vor dem Hofball noch etwas ruhen.

Auf ein Zeichen verbeugt sich der Großherzog vor Galilei. Der Hof schickt sich schnell an zu gehen.

FRAU SARTI *stellt sich dem Großherzog in den Weg und bietet ihm einen Teller mit Bäckereien an:* Ein Kringel, Eure Hoheit?

Die ältere Hofdame führt den Großherzog hinaus.

GALILEI *hinterherlaufend:* Aber die Herren brauchten wirklich nur durch das Instrument zu schauen!

DER HOFMARSCHALL Ihre Hoheit wird nicht versäumen, über Ihre Behauptungen die Meinung unseres größten lebenden Astronomen einzuholen, des Herrn Pater ⌜Christopher Clavius⌝, Hauptastronom am Päpstlichen Collegium in Rom.

5
Uneingeschüchtert auch durch die Pest* setzt Galilei seine Forschungen fort

In ganz Mittelitalien kam es 1632 zu einer großen Pestepidemie.

a

5 *Morgens früh. Galilei über seinen Aufzeichnungen am Fernrohr. Virginia herein mit einer Reisetasche.*

GALILEI Virginia! Ist etwas passiert?

VIRGINIA Das Stift hat geschlossen, wir mußten sofort heim. In ⌈Arcetri⌉ gibt es fünf Pestfälle.

10 GALILEI *ruft:* Sarti!

VIRGINIA Die Marktgasse hier ist seit heut nacht auch schon abgeriegelt. In der Altstadt sollen zwei Tote sein und drei liegen sterbend im Spital.

GALILEI Sie haben wieder einmal alles bis zum letzten Au-
15 genblick verheimlicht.

FRAU SARTI *herein:* Was machst du hier?

VIRGINIA Die Pest.

FRAU SARTI Mein Gott. Ich packe. *Setzt sich.*

GALILEI Packen Sie nichts. Nehmen Sie Virginia und
20 Andrea! Ich hole meine Aufzeichnungen. *Er läuft eilig zurück an seinen Tisch und klaubt in größter Hast Papiere zusammen.*

Frau Sarti zieht Andrea, der gelaufen kommt, einen Mantel an und holt etwas Bettzeug und Essen herbei.
25 *Herein ein großherzoglicher Lakai.*

LAKAI Seine Hoheit hat der grassierenden* Krankheit wegen die Stadt in Richtung auf Bologna verlassen. Er bestand jedoch darauf, daß Herrn Galilei die Möglichkeit geboten wird, sich ebenfalls in Sicherheit zu bringen.
30 Die Kalesche* ist in zwei Minuten vor der Tür.

Sich ausbreitenden

Leichte Kutsche

FRAU SARTI *zu Virginia und Andrea:* Geht ihr sogleich hinaus. Hier, nehmt das mit.

ANDREA Aber warum? Wenn du mir nicht sagst, warum, gehe ich nicht.

FRAU SARTI Es ist die Pest, mein Kind.

VIRGINIA Wir warten auf Vater.

FRAU SARTI Herr Galilei, sind Sie fertig? 5

GALILEI *das Fernrohr in das Tischtuch packend:* Setzen Sie Virginia und Andrea in die Kalesche. Ich komme gleich.

VIRGINIA Nein, wir gehen nicht ohne dich. Du wirst nie fertig werden, wenn du erst deine Bücher einpackst.

FRAU SARTI Der Wagen ist da. 10

GALILEI Sei vernünftig, Virginia, wenn ihr euch nicht hineinsetzt, fährt der Kutscher weg. Die Pest, das ist keine Kleinigkeit.

VIRGINIA *protestierend, während Frau Sarti sie und Andrea hinausführt:* Helfen Sie ihm mit den Büchern, 15 sonst kommt er nicht.

FRAU SARTI *ruft von der Haustür:* Herr Galilei! Der Kutscher weigert sich zu warten.

GALILEI Frau Sarti, ich glaube nicht, daß ich weg sollte. Da ist alles in Unordnung, wissen Sie, die Aufzeichnungen 20 von drei Monaten, die ich wegschmeißen kann, wenn ich sie nicht noch ein, zwei Nächte fortführe. Und diese Seuche ist ja überall.

FRAU SARTI Herr Galilei! Komm sofort mit! Du bist wahnsinnig. 25

GALILEI Sie müssen mit Virginia und Andrea fahren. Ich komme nach.

FRAU SARTI In einer Stunde kommt niemand mehr hier weg. Du mußt kommen! *Horcht.* Er fährt! Ich muß ihn aufhalten. *Ab.* 30

Galilei geht hin und her. Frau Sarti kehrt zurück, sehr bleich, ohne ihr Bündel.

GALILEI Was stehen Sie herum? Die Kalesche mit den Kindern fährt Ihnen noch weg.

FRAU SARTI Sie sind weg. Virginia mußten sie festhalten. 35

Man wird für die Kinder sorgen in Bologna. Aber wer soll Ihnen Ihr Essen hinstellen?

GALILEI Du bist wahnsinnig. Wegen dem Kochen in der Stadt zu bleiben! ... *Nimmt seine Aufzeichnungen in die Hand.* Glauben Sie von mir nicht, Frau Sarti, daß ich ein Narr bin. Ich kann diese Beobachtungen nicht im Stich lassen. Ich habe mächtige Feinde und muß Beweise für gewisse Behauptungen sammeln.

FRAU SARTI Sie brauchen sich nicht zu entschuldigen. Aber vernünftig ist es nicht.

b

Vor Galileis Haus in Florenz. Heraus tritt Galilei und blickt die Straße hinunter. Zwei Nonnen kommen vorüber.

GALILEI *spricht sie an:* Können Sie mir sagen, Schwestern, wo ich Milch zu kaufen bekomme? Heute früh ist die Milchfrau nicht gekommen, und meine Haushälterin ist weg.

DIE EINE NONNE Die Läden sind nur noch in der unteren Stadt offen.

DIE ANDERE NONNE Sind Sie hier herausgekommen? *Galilei nickt.* Das ist diese Gasse!

Die beiden Nonnen bekreuzigen sich, murmeln den Englischen Gruß und laufen weg. Ein Mann kommt vorbei.*

Kath. Gebet, Ave-Maria

GALILEI *spricht ihn an:* Sind Sie nicht der Bäcker, der uns das Weißbrot bringt? *Der Mann nickt.* Haben Sie meine Haushälterin gesehen? Sie muß gestern abend weggegangen sein. Seit heute früh ist sie nicht mehr im Haus.

Der Mann schüttelt den Kopf.

Ein Fenster gegenüber geht auf und eine Frau schaut heraus.

DIE FRAU *schreiend:* Laufen Sie! Bei denen da drüben ist die Pest!

Der Mann läuft erschrocken weg.

GALILEI Wissen Sie etwas über meine Haushälterin?

DIE FRAU Ihre Haushälterin ist oben an der Straße niedergebrochen. Sie muß es gewußt haben. Darum ist sie weg. Solche Rücksichtslosigkeit! *Sie schlägt das Fenster zu. Kinder kommen die Straße herunter. Sie sehen Galilei und rennen schreiend weg. Galilei wendet sich, da kommen zwei Soldaten gelaufen, ganz in Eisen.* 10

DIE SOLDATEN Geh sofort ins Haus zurück! *Mit ihren langen Spießen schieben sie Galilei in sein Haus zurück. Hinter ihm verrammeln sie das Tor.*

GALILEI *am Fenster:* Könnt ihr mir sagen, was mit der Frau geschehen ist? 15

DIE SOLDATEN Sie werden auf den Anger geschafft.

DIE FRAU *erscheint wieder im Fenster:* Die ganze Gasse da hinten ist ja verseucht. Warum sperrt ihr nicht ab?

Die Soldaten ziehen einen Strick über die Straße.

DIE FRAU Aber so kann ja auch in unser Haus keiner mehr! 20 Hier braucht ihr doch nicht abzusperren. Hier ist doch alles gesund. Halt! Halt! So hört doch! Mein Mann ist doch in der Stadt, er kann ja nicht mehr zu uns! Ihr Tiere, ihr Tiere! *Man hört von innen her ihr Schluchzen und Schreien. Die Soldaten gehen ab.* 25

An einem anderen Fenster erscheint eine alte Frau.

GALILEI Dort hinten muß es brennen.

DIE ALTE FRAU Sie löschen nicht mehr, wenn Pestverdacht ist. Jeder denkt nur noch an die Pest.

GALILEI Wie ihnen das gleich sieht! Das ist ihr ganzes Re- 30 gierungssystem. Sie hauen uns ab wie den kranken Ast eines Feigenbaumes, der keine Frucht mehr bringen kann.

DIE ALTE FRAU Das dürfen Sie nicht sagen. Sie sind nur hilflos. 35

GALILEI Sind Sie allein im Haus?

DIE ALTE FRAU Ja. Mein Sohn hat mir einen Zettel geschickt. Er hat Gott sei Dank gestern abend schon erfahren, daß dort hinten wer gestorben ist, und ist nicht mehr heimgekommen. Es sind elf Fälle gewesen in der Nacht hier im Viertel.

GALILEI Ich mache mir Vorwürfe, daß ich meine Haushälterin nicht rechtzeitig weggeschickt habe. Ich hatte eine dringende Arbeit, aber sie hatte keinen Grund zu bleiben.

DIE ALTE FRAU Wir können ja auch nicht weg. Wer soll uns aufnehmen? Sie müssen sich keine Vorwürfe machen. Ich habe sie gesehen. Sie ging heute früh weg, gegen sieben Uhr. Sie war krank, denn als sie mich aus der Tür treten und die Brote hereinholen sah, machte sie einen Bogen um mich. Sie wollte wohl nicht, daß man Ihnen das Haus zuschließt. Aber sie bringen alles heraus.

Ein klapperndes Geräusch wird hörbar.

GALILEI Was ist das?

DIE ALTE FRAU Sie versuchen, mit Geräuschen die Wolken zu vertreiben, in denen die Pestkeime sind.

Galilei lacht schallend.

DIE ALTE FRAU Daß Sie noch lachen können!

Ein Mann kommt die Straße herunter und findet sie versperrt durch den Strick.

GALILEI Heda, Sie! Hier ist abgeriegelt, und im Haus ist nichts zu essen.

Der Mann ist schon weggelaufen.

GALILEI Aber ihr könnt einen doch nicht hier verhungern lassen! Heda! Heda!

DIE ALTE FRAU Vielleicht bringen sie was. Sonst kann ich Ihnen, aber erst nachts, einen Krug Milch vor die Tür stellen, wenn Sie sich nicht fürchten.

GALILEI Heda! Heda! Man muß uns doch hören!

Am Strick steht plötzlich Andrea. Er hat ein verweintes Gesicht.

GALILEI Andrea! Wie kommst du her?

ANDREA Ich war schon früh hier. Ich habe geklopft, aber Sie haben nicht aufgemacht. Die Leute haben mir gesagt, daß . . .

GALILEI Bist du denn nicht weggefahren?

ANDREA Doch. Aber unterwegs konnte ich abspringen. Virginia ist weitergefahren. Kann ich nicht hinein?

DIE ALTE FRAU Nein, das kannst du nicht. Du mußt zu den ⌜Ursulinerinnen⌝. Deine Mutter ist vielleicht auch dort.

ANDREA Ich war da. Aber man hat mich nicht zu ihr hineingelassen. Sie ist so krank.

GALILEI Bist du so weit hergelaufen? Das sind doch drei Tage, daß du wegfuhrst.

ANDREA So lang brauchte ich, seien Sie nicht böse. Sie haben mich einmal eingefangen.

GALILEI *hilflos:* Weine jetzt nicht mehr. Siehst du, ich habe allerhand gefunden in der Zwischenzeit. Soll ich dir erzählen? *Andrea nickt schluchzend.* Gib genau acht, sonst verstehst du nicht. Erinnerst du dich, daß ich dir den Planeten ⌜Venus⌝ gezeigt habe? Horch nicht auf das Geräusch, das ist nichts. Kannst du dich erinnern? Weißt du, was ich gesehen habe? Er ist wie der Mond! Ich habe ihn als halbe Kugel und ich habe ihn als Sichel gesehen. Was sagst du dazu? Ich kann dir alles zeigen mit einer kleinen Kugel und einem Licht. Es beweist, daß auch dieser Planet kein eigenes Licht hat. Und er dreht sich um die Sonne, in einem einfachen Kreis, ist das nicht wunderbar?

ANDREA *schluchzend:* Sicher, und das ist ein Fakt.

GALILEI *leise:* Ich habe sie nicht zurückgehalten.

Andrea schweigt.

GALILEI Aber natürlich, wenn ich nicht geblieben wäre, wäre das nicht geschehen.

ANDREA Müssen sie es Ihnen jetzt glauben?

GALILEI Ich habe jetzt alle Beweise zusammen. Weißt du,

wenn das hier vorüber ist, gehe ich nach Rom und zeige es ihnen.

Die Straße herunter kommen zwei vermummte Männer mit langen Stangen und Kübeln. An den Stangen reichen sie Galilei und dann der alten Frau Brote in die Fenster.

DIE ALTE FRAU Und dort drüben ist eine Frau mit drei Kindern. Legt da auch was hin.

GALILEI Aber ich habe nichts zu trinken. Im Haus ist kein Wasser. *Die beiden zucken die Achseln.* Kommt ihr auch morgen?

DER EINE MANN *mit erstickter Stimme, da er ein Tuch vor dem Mund hat:* Wer weiß heut, was morgen ist?

GALILEI Könntet ihr, wenn ihr kommt, auch ein Büchlein heraufreichen, das ich für meine Arbeit brauche?

DER MANN *lacht dumpf:* Als ob es jetzt auf ein Buch ankäme. Sei froh, wenn du Brot bekommst.

GALILEI Aber der Junge dort, mein Schüler, wird da sein und es euch geben für mich. Es ist die Karte mit der Umlaufzeit des ⌜Merkur⌝, Andrea, ich habe sie verlegt. Willst du sie beschaffen in der Schule?

Die Männer sind schon weitergegangen.

ANDREA Bestimmt. Ich hol sie, Herr Galilei. *Ab.*

Auch Galilei zieht sich zurück. Gegenüber aus dem Haus tritt die alte Frau und stellt einen Krug vor Galileis Tür.

Galileis Entdeckungen werden 1611 vom Collegium Romanum bestätigt.

6
1616*: Das Collegium Romanum, Forschungsinstitut des Vatikans, bestätigt Galileis Entdeckungen.

Das hat die Welt nicht oft gesehn
Daß Lehrer selbst ans Lernen gehn. 5
Clavius, der Gottesknecht
Gab dem Galilei recht.

Saal des Collegium Romanum in Rom. Es ist Nacht. Hohe Geistliche, Mönche, Gelehrte in Gruppen. An der Seite allein Galilei. Es herrscht große Ausgelassenheit. Bevor die 10 *Szene beginnt, hört man gewaltiges Gelächter.*

EIN DICKER PRÄLAT *hält sich den Bauch vor Lachen:* O Dummheit! O Dummheit! Ich möchte, daß mir einer einen Satz nennt, der nicht geglaubt wurde!

EIN GELEHRTER Zum Beispiel, daß Sie unüberwindliche 15 Abneigung gegen Mahlzeiten verspüren, Monsignore!

DER DICKE PRÄLAT Wird geglaubt, wird geglaubt. Nur das Vernünftige wird nicht geglaubt. Daß es einen Teufel gibt, das wird bezweifelt. Aber daß die Erde sich dreht wie ein Schusser* in der Gosse, das wird geglaubt. Sanc- 20 ta simplicitas!*

Murmel
Heilige Einfalt

EIN MÖNCH *spielt Komödie:* Mir schwindelt. Die Erde dreht sich zu schnell. Gestatten Sie, daß ich mich an Ihnen einhalte, Professor. *Er tut, als schwanke er, und hält sich an einem Gelehrten ein.* 25

DER GELEHRTE *mitmachend:* Ja, sie ist heute wieder ganz besoffen, die Alte. *Er hält sich an einem anderen ein.*

DER MÖNCH Halt, halt! Wir rutschen ab! Halt, sag ich!

EIN ZWEITER GELEHRTER Die Venus steht schon ganz schief. Ich sehe nur noch ihren halben Hintern, Hilfe! 30 *Es bildet sich ein Klumpen von Mönchen, die unter Ge-*

lächter tun, als wehrten sie sich, von einem Schiff im Sturm abgeschüttelt zu werden.

EIN ZWEITER MÖNCH Wenn wir nur nicht auf den Mond geschmissen werden! Brüder, der soll scheußlich scharfe Bergspitzen haben!

DER ERSTE GELEHRTE Stemm dich mit dem Fuß dagegen.

DER ERSTE MÖNCH Und schaut nicht hinab. Ich leide unter Schwindel.

DER DICKE PRÄLAT *absichtlich laut in Galileis Richtung:* Unmöglich, Schwindel im Collegium Romanum!

Großes Gelächter.

Aus der Tür hinten kommen zwei Astronomen des Collegiums. Stille tritt ein.

EIN MÖNCH Untersucht ihr immer noch? Das ist ein Skandal!

DER EINE ASTRONOM *zornig:* Wir nicht!

DER ZWEITE ASTRONOM Wohin soll das führen? Ich verstehe den Clavius nicht ... Wenn man alles für bare Münze nähme, was in den letzten fünfzig Jahren behauptet wurde! Im Jahre 1572 leuchtet ⌜in der höchsten Sphäre⌝, der achten, der Sphäre der Fixsterne, ⌜ein neuer Stern⌝ auf, eher strahlender und größer als alle seine Nachbarsterne, und noch bevor anderthalb Jahre um waren, verschwindet er wieder und fällt der Vernichtung anheim. Soll man fragen: was ist also mit der ewigen Dauer und der Unveränderlichkeit des Himmels?

DER PHILOSOPH Wenn man es ihnen erlaubt, zertrümmern sie uns noch den ganzen Sternenhimmel.

DER ERSTE ASTRONOM Ja, wohin kommt man! Fünf Jahre später bestimmt der Däne ⌜Tycho Brahe⌝ die Bahn eines Kometen. Sie begann oberhalb des Mondes und durchbrach, eine nach der andern, alle Kugelschalen der Sphären, der materiellen Träger der bewegten Himmelskörper! Er trifft keinen Widerstand, er erfährt keine Ablenkung seines Lichts. Soll man also fragen: wo sind die Sphären?

DER PHILOSOPH Das ist doch ausgeschlossen! Wie kann Christopher Clavius, der größte Astronom Italiens und der Kirche, so etwas überhaupt untersuchen!

DER DICKE PRÄLAT Skandal!

DER ERSTE ASTRONOM Er untersucht aber! Er sitzt drinnen und glotzt durch dieses Teufelsrohr! 5

Wehre den Anfängen! (Ovid)

DER ZWEITE ASTRONOM Principiis obsta!* Alles fing damit an, daß wir so vieles, die Länge des Sonnenjahres, die Daten der Sonnen- und Mondfinsternis, die Stellungen der Himmelskörper seit Jahr und Tag nach den ⌜Tafeln des Kopernikus⌝ berechnen, der ein Ketzer ist. 10

EIN MÖNCH Ich frage: was ist besser, eine Mondfinsternis drei Tage später als im Kalender steht zu erleben oder die ewige Seligkeit niemals?

EIN SEHR DÜNNER MÖNCH *kommt mit einer aufgeschlagenen Bibel nach vorn, fanatisch den Finger auf eine Stelle stoßend:* Was steht hier in der Schrift? ⌜»Sonne, steh still zu Gibeon und Mond im Tale Ajalon!«⌝ Wie kann die Sonne stillstehen, wenn sie sich überhaupt nicht dreht, wie diese Ketzer behaupten? Lügt die Schrift? 15 20

DER ERSTE ASTRONOM Nein, und darum gehen wir.

DER ZWEITE ASTRONOM Es gibt Erscheinungen, die uns Astronomen Schwierigkeiten bereiten, aber muß der Mensch alles verstehen? 25

Beide ab.

DER SEHR DÜNNE MÖNCH Die Heimat des Menschengeschlechts setzen sie einem Wandelstern gleich. Mensch, Tier, Pflanze und Erdreich verpacken sie auf einen Karren und treiben ihn im Kreis durch einen leeren Himmel. Erde und Himmel gibt es nicht mehr nach diesen. Die Erde nicht, weil sie ein Gestirn des Himmels ist, und den Himmel nicht, weil er aus Erden besteht. Da ist kein Unterschied mehr zwischen Oben und Unten, zwischen dem Ewigen und dem Vergänglichen. Daß wir vergehen, 30 35 das wissen wir. Daß auch der Himmel vergeht, das sagen sie uns jetzt. Sonne, Mond und Sterne und wir leben auf der Erde, hat es geheißen und steht es geschrieben; aber jetzt ist auch die Erde ein Stern nach diesem da. Es gibt nur Sterne! Wir werden den Tag erleben, wo sie sagen: ⌜Es gibt auch nicht Mensch und Tier⌝, der Mensch selber ist ein Tier, es gibt nur Tiere!

DER ERSTE GELEHRTE *zu Galilei:* Herr Galilei, Ihnen ist etwas hinabgefallen.

GALILEI *der seinen Stein während des Vorigen aus der Tasche gezogen, damit gespielt und ihn am Ende auf den Boden hat fallen lassen, indem er sich bückt, ihn aufzuheben:* Hinauf, Monsignore, es ist mir hinaufgefallen.

DER DICKE PRÄLAT *kehrt sich um:* Unverschämter Mensch.

Eintritt ein sehr alter Kardinal, von einem Mönch gestützt. Man macht ihm ehrerbietig Platz.

DER SEHR ALTE KARDINAL Sind Sie immer noch drinnen? Können sie mit dieser Kleinigkeit wirklich nicht schneller fertig werden? Dieser Clavius sollte doch seine Astronomie verstehen! Ich höre, dieser Herr Galilei versetzt den Menschen aus dem Mittelpunkt des Weltalls irgendwohin an den Rand. Er ist folglich deutlich ein Feind des Menschengeschlechts! Als solcher muß er behandelt werden. Der Mensch ist die Krone der Schöpfung, das weiß jedes Kind, Gottes höchstes und geliebtestes Geschöpf. Wie könnte er es, ein solches Wunderwerk, eine solche Anstrengung, auf ein kleines, abseitiges und immerfort weglaufendes Gestirnlein setzen? Würde er so wohin ⌜seinen Sohn schicken⌝? Wie kann es Leute geben, so pervers, daß sie diesen Sklaven ihrer Rechentafeln Glauben schenken! Welches Geschöpf Gottes wird sich so etwas gefallen lassen?

DER DICKE PRÄLAT *halblaut:* Der Herr ist anwesend.

DER SEHR ALTE KARDINAL *zu Galilei:* So, sind Sie das?

Wissen Sie, ich sehe nicht mehr allzu gut, aber das sehe ich doch, daß Sie diesem Menschen, den wir seinerzeit verbrannt haben – wie hieß er doch?* – auffallend gleichen.

Giordano Bruno wird am 17.2.1600 verbrannt.

DER MÖNCH Eure Eminenz* sollten sich nicht aufregen. Der Arzt . . .

Ehrentitel und Anrede für Kardinäle

DER SEHR ALTE KARDINAL *schüttelt ihn ab, zu Galilei:* Sie wollen die Erde erniedrigen, obwohl Sie auf ihr leben und alles von ihr empfangen. Sie beschmutzen Ihr eigenes Nest! Aber ich jedenfalls lasse es mir nicht gefallen. *Er stößt den Mönch zurück und beginnt stolz auf und ab zu schreiten.* Ich bin nicht irgendein Wesen auf irgendeinem Gestirnchen, das für kurze Zeit irgendwo kreist. Ich gehe auf einer festen Erde, in sicherem Schritt, sie ruht, sie ist der Mittelpunkt des Alls, ich bin im Mittelpunkt, und das Auge des Schöpfers ruht auf mir und auf mir allein. Um mich kreisen, fixiert an acht kristallene Schalen, die Fixsterne und die gewaltige Sonne, die geschaffen ist, meine Umgebung zu beleuchten. Und auch mich, damit Gott mich sieht. So kommt sichtbar und unwiderleglich alles an auf mich, den Menschen, die Anstrengung Gottes, das Geschöpf in der Mitte, das ⌜Ebenbild Gottes⌝, unvergänglich und . . . *Er sinkt zusammen.*

DER MÖNCH Eure Eminenz haben sich zuviel zugemutet!

In diesem Augenblick öffnet sich die Tür hinten, und an der Spitze seiner Astronomen kommt der große Clavius herein. Er durchschreitet schweigend und schnell, ohne zur Seite zu blicken, den Saal und spricht, schon am Ausgang, zu einem Mönch hin.

CLAVIUS Es stimmt. *Er geht ab, gefolgt von den Astronomen.*

Die Tür hinten bleibt offenstehen. Totenstille. Der sehr alte Kardinal kommt zu sich.

DER SEHR ALTE KARDINAL Was ist? Die Entscheidung gefallen?

Niemand wagt es ihm zu sagen.

DER MÖNCH Eure Eminenz müssen nach Hause gebracht werden.

Man hilft dem alten Mann hinaus. Alle verlassen verstört den Saal.

Ein kleiner Mönch aus der Untersuchungskommission des Clavius bleibt bei Galilei stehen.

DER KLEINE MÖNCH *verstohlen:* Herr Galilei, Pater Clavius sagte, bevor er wegging: Jetzt können die Theologen sehen, wie sie die Himmelskreise wieder einrenken! Sie haben gesiegt. *Ab.*

GALILEI *sucht ihn zurückzuhalten:* Sie hat gesiegt! Nicht ich, die Vernunft hat gesiegt!

Der kleine Mönch ist schon weg.

Auch Galilei geht. Unter der Tür begegnet er einem hochgewachsenen Geistlichen, dem Kardinal Inquisitor. Ein Astronom begleitet ihn. Galilei verbeugt sich. Bevor er hinausgeht, stellt er einem Türhüter flüsternd eine Frage.*

Oberster Gerichtsherr der Inquisition

TÜRHÜTER *zurückflüsternd:* Seine Eminenz, der Kardinal Inquisitor.

Der Astronom geleitet den Kardinal Inquisitor zum Fernrohr.

7
Aber die Inquisition setzt die kopernikanische Lehre auf den ⌜Index⌝ (5. März 1616)*

Das Datum bezieht sich auf die Veröffentlichung des Dekrets der kopernikanischen Lehre.

In Rom war Galilei Gast
In einem Kardinalspalast. 5
Man bot ihm Schmaus und bot ihm Wein
und hatt' nur ein klein Wünschelein.

⌜Haus des Kardinals Bellarmin in Rom.⌝ Ein Ball ist im Gang. Im Vestibül, wo zwei geistliche Sekretäre Schach spielen und Notizen über die Gäste machen, wird Galilei 10 *von einer kleinen Gruppe maskierter Damen und Herren mit Applaus empfangen. Er kommt in Begleitung seiner Tochter Virginia und ihres Verlobten Ludovico Marsili.*

VIRGINIA Ich tanze mit niemand sonst, Ludovico.
LUDOVICO Die Schulterspange ist lose. 15
GALILEI
»Dies leicht verschobene Busentuch, ⌜Thais⌝
Ordne mir nicht. Manche Unordnung, tiefere
Zeigt es mir köstlich und
Andern auch. In des wimmelnden Saals 20
Kerzenlicht dürfen sie denken an
Dunklere Stellen des wartenden Parkes.«
VIRGINIA Fühl mein Herz.
GALILEI *legt ihr die Hand auf das Herz:* Es klopft.
VIRGINIA Ich möchte schön aussehen. 25
GALILEI Du mußt, sonst zweifeln sie sofort wieder, daß sie sich dreht.
LUDOVICO Sie dreht sich ja gar nicht. *Galilei lacht.* Rom spricht nur von Ihnen. Von heute abend ab, Herr, wird man von Ihrer Tochter sprechen. 30
GALILEI Es heißt, es sei leicht, im römischen Frühling

schön auszusehen. Selbst ich muß einem beleibteren Adonis* gleichen. *Zu den Sekretären:* Ich sollte den Herrn Kardinal hier erwarten. *Zu dem Paar:* Geht und vergnügt euch!

5 *Bevor sie nach hinten zum Ball gehen, kommt Virginia noch einmal zurückgelaufen.*

In der griech. Mythologie schöner Jüngling und Geliebter der Liebesgöttin Aphrodite.

VIRGINIA Vater, der Friseur in der ⌜Via del Trionfo⌝ nahm mich zuerst dran und ließ vier Damen warten. Er kannte deinen Namen sofort. *Ab.*

10 GALILEI *zu den Schach spielenden Sekretären:* Wie könnt ihr noch immer das alte Schach spielen? Eng, eng. Jetzt spielt man doch so, daß die größeren Figuren über alle Felder gehen. Der Turm so *er zeigt es* – und der Läufer so – und die Dame so und so. Da hat man Raum und kann

15 Pläne machen.

DER EINE SEKRETÄR Das entspricht nicht unsern kleinen Gehältern, wissen Sie. Wir können nur solche Sprünge machen. *Er zieht einen kleinen Zug.*

GALILEI Umgekehrt, mein Guter, umgekehrt! Wer auf

20 großem Fuß lebt*, dem bezahlen sie auch den größten Stiefel! Man muß mit der Zeit gehen, meine Herren. Nicht an den Küsten lang, einmal muß man ausfahren. *Der sehr alte Kardinal der vorigen Szene überquert die Bühne, geleitet von seinem Mönch. Er erblickt den Ga-*

Aufwendig leben

25 *lilei, geht an ihm vorbei, wendet sich dann unsicher und grüßt ihn. Galilei setzt sich. Aus dem Ballsaal hört man, von Knaben gesungen, den Beginn des berühmten Gedichts ⌜Lorenzo di Medicis⌝ über die Vergänglichkeit:*

⌜»Ich, der ich Rosen aber sterben sah

30 *Und ihre Blätter lagen welkend da*

Entfärbt auf kaltem Boden, wußte gut:

Wie eitel ist der Jugend Übermut!«⌝

GALILEI Rom. – Großes Fest?

ERSTER SEKRETÄR Der erste Karneval nach den Pestjahren.

35 Alle großen Familien Italiens sind heute abend hier ver-

treten. Die Orsinis, die Villanis, die Nuccolis, die Soldanieris, die Canes, die Lecchis, die Estensis, die Colombinis . . .

ZWEITER SEKRETÄR *unterbricht:* Ihre Eminenzen, die Kardinäle Bellarmin und Barberini.

Herein Kardinal Bellarmin und ⌜Kardinal Barberini⌝. Sie halten die ⌜Masken eines Lamms und einer Taube⌝ an Stöcken vors Gesicht.

BARBERINI *den Zeigefinger auf Galilei:* ⌜»Die Sonne geht auf und unter und kehret an ihren Ort zurück.«⌝ Das sagt Salomo, und was sagt Galilei?

GALILEI Als ich so klein war *er deutet es mit der Hand an*, Eure Eminenz, stand ich auf einem Schiff, und ich rief: ⌜Das Ufer bewegt sich fort.⌝ – Heute weiß ich, das Ufer stand fest, und das Schiff bewegte sich fort.

BARBERINI Schlau, schlau. Was man sieht, Bellarmin, nämlich daß der Gestirnhimmel sich dreht, braucht nicht zu stimmen, siehe Schiff und Ufer. Aber was stimmt, nämlich daß die Erde sich dreht, kann man nicht wahrnehmen! Schlau. Aber seine Jupitermonde sind harte Brocken für unsere Astronomen. Leider habe ich auch einmal etwas Astronomie gelesen, Bellarmin. Das hängt einem an wie die Krätze.

BELLARMIN Gehen wir mit der Zeit, Barberini. Wenn Sternkarten, die sich auf eine neue Hypothese stützen, unsern Seeleuten die Navigation erleichtern, mögen sie die Karten benutzen. Uns mißfallen nur Lehren, welche die Schrift falsch machen. *Er winkt grüßend nach dem Ballsaal zu.*

GALILEI Die Schrift. – ⌜»Wer aber das Korn zurückhält, dem wird das Volk fluchen.«⌝ Sprüche Salomonis.

BARBERINI ⌜»Der Weise verbirget sein Wissen.«⌝ Sprüche Salomonis.

GALILEI ⌜»Wo da Ochsen sind, da ist der Stall unrein. Aber viel Gewinn ist durch die Stärke des Ochsen.«⌝

BARBERINI ⌜»Der seine Vernunft im Zaum hält, ist besser als der eine Stadt nimmt.«⌝

GALILEI ⌜»Des Geist aber gebrochen ist, dem verdorren die Gebeine.«⌝ *Pause.* ⌜»Schreiet die Wahrheit nicht laut?«⌝

BARBERINI ⌜»Kann man den Fuß setzen auf glühende Kohle, und der Fuß verbrennt nicht?«⌝ – Willkommen in Rom, Freund Galilei. Sie wissen von seinem Ursprung? Zwei Knäblein*, so geht die Mär, empfingen Milch und Zuflucht von einer Wölfin. Von der Stunde an müssen alle Kinder der Wölfin für ihre Milch zahlen. Aber dafür sorgt die Wölfin für alle Arten von Genüssen, himmlische und irdische; von Gesprächen mit meinem gelehrten Freund Bellarmin bis zu drei oder vier Damen von internationalem Ruf, darf ich sie Ihnen zeigen? *Er führt Galilei hinter, ihm den Ballsaal zu zeigen.*

Galilei folgt widerstrebend.

Anspielung auf die Zwillingsbrüder Romulus und Remus, die der röm. Sage nach Rom gegründet haben.

BARBERINI Nein? Er besteht auf einer ernsten Unterhaltung. Gut. Sind Sie sicher, Freund Galilei, daß ihr Astronomen euch nicht nur einfach eure Astronomie bequemer machen wollt? *Er führt ihn wieder nach vorn.* Ihr denkt ⌜in Kreisen oder Ellipsen⌝ und in gleichmäßigen Schnelligkeiten, einfachen Bewegungen, die euren Gehirnen gemäß sind. Wie, wenn es Gott gefallen hätte, seine Gestirne so laufen zu lassen? *Er zeichnet mit dem Finger in der Luft eine äußerst verwickelte Bahn mit unregelmäßiger Geschwindigkeit.* Was würde dann aus euren Berechnungen?

GALILEI Eminenz, hätte Gott die Welt so konstruiert *er wiederholt Barberinis Bahn*, dann hätte er auch unsere Gehirne so konstruiert *er wiederholt dieselbe Bahn*, so daß sie eben diese Bahnen als die einfachsten erkennen würden. Ich glaube an die Vernunft.

BARBERINI Ich halte die Vernunft für unzulänglich. Er schweigt. Er ist zu höflich, jetzt zu sagen, er hält meine für unzulänglich. *Lacht und geht zur Brüstung zurück.*

BELLARMIN Die Vernunft, mein Freund, reicht nicht sehr weit. Ringsum sehen wir nichts als Schiefheit, Verbrechen und Schwäche. Wo ist die Wahrheit?

GALILEI *zornig:* Ich glaube an die Vernunft.

BARBERINI *zu den Sekretären:* Ihr sollt nicht mitschreiben, das ist eine wissenschaftliche Unterhaltung unter Freunden.

BELLARMIN Bedenken Sie einen Augenblick, was es die Kirchenväter und so viele nach ihnen für Mühe und Nachdenken gekostet hat, in eine solche Welt (ist sie etwa nicht abscheulich?) etwas Sinn zu bringen. Bedenken Sie die Roheit derer, die ihre Bauern in der Campagna halbnackt über ihre Güter peitschen lassen, und die Dummheit dieser Armen, die ihnen dafür die Füße küssen.

GALILEI Schandbar! Auf meiner Fahrt hierher sah ich ...

BELLARMIN Wir haben die Verantwortung für den Sinn solcher Vorgänge (das Leben besteht daraus), die wir nicht begreifen können, einem höheren Wesen zugeschoben, davon gesprochen, daß mit derlei gewisse Absichten verfolgt werden, daß dies alles einem großen Plan zufolge geschieht. Nicht als ob dadurch absolute Beruhigung eingetreten wäre, aber jetzt beschuldigen Sie dieses höchste Wesen, es sei sich im unklaren darüber, wie die Welt der Gestirne sich bewegt, worüber Sie sich im klaren sind. Ist das weise?

GALILEI *zu einer Erklärung ausholend:* ⌜Ich bin ein gläubiger Sohn der Kirche ...⌝

BARBERINI Es ist entsetzlich mit ihm. Er will in aller Unschuld Gott die dicksten Schnitzer in der Astronomie nachweisen! Wie, Gott hat nicht sorgfältig genug Astronomie studiert, bevor er die Heilige Schrift verfaßte? Lieber Freund!

BELLARMIN Ist es nicht auch für Sie wahrscheinlich, daß der Schöpfer über das von ihm Geschaffene besser Bescheid weiß als sein Geschöpf?

GALILEI Aber, meine Herren, schließlich kann der Mensch nicht nur die Bewegungen der Gestirne falsch auffassen, sondern auch die Bibel!

BELLARMIN Aber wie die Bibel aufzufassen ist, darüber haben schließlich die Theologen der Heiligen Kirche zu befinden, nicht?

Galilei schweigt.

BELLARMIN Sehen Sie: jetzt schweigen Sie. *Er macht den Sekretären ein Zeichen.* Herr Galilei, das Heilige Offizium hat heute nacht beschlossen, daß die Lehre des Kopernikus, ⌜nach der die Sonne⌝ Zentrum der Welt und unbeweglich, die Erde aber nicht Zentrum der Welt und beweglich ist, töricht, absurd und ketzerisch im Glauben ist. Ich habe den Auftrag, Sie zu ermahnen, diese Meinung aufzugeben. *Zum ersten Sekretär:* Wiederholen Sie das.

ERSTER SEKRETÄR Seine Eminenz, Kardinal Bellarmin, zu dem besagten Galileo Galilei: Das Heilige Offizium hat beschlossen, daß die Lehre des Kopernikus, nach der die Sonne Zentrum der Welt und unbeweglich, die Erde aber nicht Zentrum der Welt und beweglich ist, töricht, absurd und ketzerisch im Glauben ist. Ich habe den Auftrag, Sie zu ermahnen, diese Meinung aufzugeben.

GALILEI Was heißt das?

Aus dem Ballsaal hört man, von Knaben gesungen, eine weitere Strophe des Gedichts:

»Sprach ich: Die schöne Jahreszeit geht schnell vorbei:
Pflücke die Rose, noch ist es Mai.«

Barberini bedeutet dem Galilei zu schweigen, solange der Gesang währt. Sie lauschen.

GALILEI Aber die Tatsachen? Ich verstand, daß die Astronomen des Collegium Romanum meine Notierungen anerkannt haben.

BELLARMIN Mit den Ausdrücken der tiefsten Genugtuung, in der für Sie ehrendsten Weise.

GALILEI Aber die Jupitertrabanten, die Phasen der Venus ...

Gemeinschaft der Kardinäle

BELLARMIN Die Heilige Kongregation* hat ihren Beschluß gefaßt, ohne diese Einzelheiten zur Kenntnis zu nehmen.

GALILEI Das heißt, daß jede weitere wissenschaftliche Forschung ... 5

BELLARMIN Durchaus gesichert ist, Herr Galilei. Und das gemäß der Anschauung der Kirche, daß wir nicht wissen können, aber forschen mögen. *Er begrüßt wieder einen Gast im Ballsaal.* Es steht Ihnen frei, in Form der mathematischen Hypothese auch diese Lehre zu behandeln. Die Wissenschaft ist die legitime und ⌜höchst geliebte Tochter der Kirche⌝, Herr Galilei. Niemand von uns nimmt im Ernst an, daß Sie das Vertrauen zur Kirche untergraben wollen. 10 15

GALILEI *zornig:* ⌜Vertrauen wird dadurch erschöpft⌝, daß es in Anspruch genommen wird.

BARBERINI Ja? *Er klopft ihm, schallend lachend, auf die Schulter. Dann sieht er ihn scharf an und sagt nicht unfreundlich:* ⌜Schütten Sie nicht das Kind mit dem Bade aus⌝, Freund Galilei. Wir tun es auch nicht. Wir brauchen Sie, mehr als Sie uns. 20

BELLARMIN Ich brenne darauf, den größten Mathematiker Italiens dem Kommissar des Heiligen Offiziums vorzustellen, der Ihnen die allergrößte Wertschätzung entgegenbringt. 25

BARBERINI *den andern Arm Galileis fassend:* ⌜Worauf er sich wieder in ein Lamm verwandelt.⌝ Auch Sie wären besser als braver Doktor der Schulmeinung kostümiert hier erschienen, lieber Freund. Es ist meine Maske, die mir heute ein wenig Freiheit gestattet. In einem solchen Aufzug können Sie mich murmeln hören: ⌜Wenn es keinen Gott gäbe, müßte man ihn erfinden.⌝ Gut, nehmen wir wieder unsere Masken vor. Der arme Galilei hat keine. 30 35

Sie nehmen Galilei in die Mitte und führen ihn in den Ballsaal.

ERSTER SEKRETÄR Hast du den letzten Satz?

ZWEITER SEKRETÄR Bin dabei. *Sie schreiben eifrig.* Hast du
5 das, wo er sagt, daß er an die Vernunft glaubt?

Herein der Kardinal Inquisitor.

DER INQUISITOR Die Unterredung hat stattgefunden?

ERSTER SEKRETÄR *mechanisch:* Zuerst kam Herr Galilei mit seiner Tochter. Sie hat sich heute verlobt mit Herrn
10 ... *Der Inquisitor winkt ab.* Herr Galilei unterrichtete uns sodann von der neuen Art des Schachspielens, bei der die Figuren entgegen allen Spielregeln über alle Felder hinweg bewegt werden.

DER INQUISITOR *winkt ab:* Das Protokoll.

15 *Ein Sekretär händigt ihm das Protokoll aus, und der Kardinal setzt sich, es zu durchfliegen. Zwei junge Damen in Masken überqueren die Bühne, sie knicksen vor dem Kardinal.*

DIE EINE Wer ist das?

20 DIE ANDERE Der Kardinal Inquisitor.

Sie kichern und gehen ab. Herein Virginia, sich suchend umblickend.

DER INQUISITOR *aus seiner Ecke:* Nun, meine Tochter?

VIRGINIA *erschrickt ein wenig, da sie ihn nicht gesehen*
25 *hat:* Oh, Eure Eminenz!

Der Inquisitor streckt ihr, ohne aufzustehen, die Rechte hin. Sie nähert sich und küßt kniend seinen Ring.

DER INQUISITOR Eine superbe Nacht! Gestatten Sie mir, Sie zu Ihrer Verlobung zu beglückwünschen. Ihr Bräu-
30 tigam kommt aus einer vornehmen Familie. Sie bleiben uns in Rom?

VIRGINIA Zunächst nicht, Eure Eminenz. Es gibt so viel vorzubereiten für eine Heirat.

DER INQUISITOR So, Sie folgen also Ihrem Vater wieder
35 nach Florenz. Ich freue mich darüber. Ich kann mir den-

ken, daß Ihr Vater Sie braucht. Mathematik ist eine kalte Hausgefährtin, nicht? Ein Geschöpf aus Fleisch und Blut in solcher Umgebung macht da allen Unterschied. Man verliert sich so leicht in den Gestirnwelten, welche so sehr ausgedehnt sind, wenn man ein großer Mann ist.

VIRGINIA *atemlos:* Sie sind sehr gütig, Eminenz. Ich verstehe wirklich fast gar nichts von diesen Dingen.

DER INQUISITOR Nein? *Er lacht.* Im Haus des Fischers ißt man nicht Fisch, wie? Es wird Ihren Herrn Vater amüsieren, wenn er hört, daß Sie schließlich von mir gehört haben, was Sie über die Gestirnwelten wissen, mein Kind. *Im Protokoll blätternd.* Ich lese hier, daß unsere Neuerer, deren in der ganzen Welt anerkannter Führer Ihr Herr Vater ist, ein großer Mann, einer der größten, unsere gegenwärtigen Vorstellungen von der Bedeutung unserer lieben Erde für etwas übertrieben ansehen. Nun, von den Zeiten des Ptolemäus, eines Weisen des Altertums, bis zum heutigen Tag maß man für die ganze Schöpfung, also für die gesamte Kristallkugel, in deren Mitte die Erde ruht, etwa zwanzigtausend Erddurchmesser. Eine schöne Geräumigkeit, aber zu klein, weit zu klein für Neuerer. Nach diesen ist sie, wie wir hören, ⌜ganz unvorstellbar weit ausgedehnt⌝, ist der Abstand der Erde von der Sonne, ein durchaus bedeutender Abstand, wie es uns immer geschienen hat, so verschwindend klein gegen den Abstand unserer armen Erde von den Fixsternen, die auf der alleräußersten Schale befestigt sind, daß man ihn bei den Berechnungen überhaupt nicht einzukalkulieren braucht! Da soll man noch sagen, daß die Neuerer nicht auf großem Fuße leben.

Virginia lacht. Auch der Inquisitor lacht.

DER INQUISITOR In der Tat, einige Herren des Heiligen Offiziums haben kürzlich an einem solchen Weltbild, gegen das unser bisheriges nur ein Bildchen ist, das man um einen so entzückenden Hals wie den gewisser junger

Mädchen legen könnte, beinahe Anstoß genommen. Sie sind besorgt, auf so ungeheuren Strecken könnte ein Prälat und sogar ein Kardinal leicht verlorengehen. Selbst ein Papst könnte vom Allmächtigen da aus den Augen verloren werden. Ja, das ist lustig, aber ich bin doch froh, Sie auch weiterhin in der Nähe Ihres großen Vaters zu wissen, den wir alle so schätzen, liebes Kind. Ich frage mich, ob ich nicht Ihren Beichtvater kenne . . .

VIRGINIA Pater Christophorus von Sankt Ursula.

DER INQUISITOR Ja, ich freue mich, daß Sie Ihren Herrn Vater also begleiten. Er wird Sie brauchen, Sie mögen es sich nicht vorstellen können, aber es wird so kommen. Sie sind noch so jung und wirklich, so sehr Fleisch und Blut, und Größe ist nicht immer leicht zu tragen für diejenigen, denen Gott sie verliehen hat, nicht immer. Niemand unter den Sterblichen ist ja so groß, daß er nicht in ein Gebet eingeschlossen werden könnte. Aber nun halte ich Sie auf, liebes Kind, und mache Ihren Verlobten eifersüchtig und vielleicht auch Ihren lieben Vater, weil ich Ihnen etwas über die Gestirne erzählt habe, was möglicherweise sogar veraltet ist. Gehen Sie schnell zum Tanzen, nur vergessen Sie nicht, Pater Christophorus von mir zu grüßen.

Virginia nach einer tiefen Verbeugung schnell ab.

8
Ein Gespräch

Galilei las den Spruch
Ein junger Mönch kam zu Besuch
War eines armen Bauern Kind 5
Wollt wissen, wie man Wissen find't.
Wollt es wissen, wollt es wissen.

Im Palast des Florentinischen Gesandten in Rom hört Galilei den kleinen Mönch an, der ihm nach der Sitzung des Collegiums Romanum den Ausspruch des päpstlichen 10 *Astronomen zugeflüstert hat.*

GALILEI Reden Sie, reden Sie! Das Gewand, das Sie tragen, gibt Ihnen das Recht zu sagen, was immer Sie wollen.

DER KLEINE MÖNCH Ich habe Mathematik studiert, Herr Galilei. 15

GALILEI Das könnte helfen, wenn es Sie veranlaßte einzugestehen, ⌜daß zwei mal zwei⌝ hin und wieder vier ist!

DER KLEINE MÖNCH Herr Galilei, seit drei Nächten kann ich keinen Schlaf mehr finden. Ich wußte nicht, wie ich das ⌜Dekret⌝, das ich gelesen habe, und die Trabanten 20 des Jupiter, die ich gesehen habe, in Einklang bringen sollte. Ich beschloß, heute früh die Messe zu lesen und zu Ihnen zu gehen.

GALILEI Um mir mitzuteilen, daß der Jupiter keine Trabanten hat? 25

DER KLEINE MÖNCH Nein. Mir ist es gelungen, in die Weisheit des Dekrets einzudringen. Es hat mir die Gefahren aufgedeckt, die ein allzu hemmungsloses Forschen für die Menschheit in sich birgt, und ich habe beschlossen, der Astronomie zu entsagen. Jedoch ist mir noch daran 30 gelegen, Ihnen die Beweggründe zu unterbreiten, die auch einen Astronomen dazu bringen können, von einem weiteren Ausbau der gewissen Lehre abzusehen.

GALILEI Ich darf sagen, daß mir solche Beweggründe bekannt sind.

DER KLEINE MÖNCH Ich verstehe Ihre Bitterkeit. Sie denken an die gewissen außerordentlichen Machtmittel der Kirche.

GALILEI Sagen Sie ruhig ⌜Folterinstrumente⌝.

DER KLEINE MÖNCH Aber ich möchte andere Gründe nennen. Erlauben Sie, daß ich von mir rede. Ich bin als Sohn von ⌜Bauern in der Campagna⌝ aufgewachsen. Es sind einfache Leute. Sie wissen alles über den Ölbaum, aber sonst recht wenig. Die Phasen der Venus beobachtend, kann ich nun meine Eltern vor mir sehen, wie sie mit meiner Schwester am Herd sitzen und ihre Käsespeise essen. Ich sehe die Balken über ihnen, die der Rauch von Jahrhunderten geschwärzt hat, und ich sehe genau ihre alten abgearbeiteten Hände und den kleinen Löffel darin. Es geht ihnen nicht gut, aber selbst in ihrem Unglück liegt eine gewisse Ordnung verborgen. Da sind diese verschiedenen Kreisläufe, von dem des Bodenaufwischens über den der Jahreszeiten im Ölfeld zu dem der Steuerzahlung. Es ist regelmäßig, was auf sie herabstößt an Unfällen. Der Rücken meines Vaters wird zusammengedrückt nicht auf einmal, sondern mit jedem Frühjahr im Ölfeld mehr, so wie auch die Geburten, die meine Mutter immer geschlechtsloser gemacht haben, in ganz bestimmten Abständen erfolgten. Sie schöpfen die Kraft, ihre Körbe schweißtriefend den steinigen Pfad hinaufzuschleppen, Kinder zu gebären, ja zu essen aus dem Gefühl der Stetigkeit und Notwendigkeit, das der Anblick des Bodens, der jedes Jahr von neuem grünenden Bäume, der kleinen Kirche und das Anhören der sonntäglichen Bibeltexte ihnen verleihen können. Es ist ihnen versichert worden, daß das Auge der Gottheit auf ihnen liegt, forschend, ja beinahe angstvoll; daß das ganze ⌜Welttheater⌝ um sie aufgebaut ist, damit sie, die Agierenden, in ihren großen oder kleinen Rollen sich bewähren können. Was würden meine Leute sagen, wenn sie von mir erführen, daß sie sich auf einem kleinen Steinklumpen befinden, der sich unaufhörlich drehend im leeren Raum um ein anderes Gestirn bewegt, einer unter sehr vielen, ein ziemlich unbedeutender! Wozu ist jetzt noch solche Geduld, solches Einverständnis in ihr Elend nötig oder gut? Wozu ist die Heilige Schrift noch gut, die alles erklärt und als notwendig begründet hat, den Schweiß, die Geduld, den Hunger, die Unterwerfung, und die jetzt voll von Irrtümern befunden wird? Nein, ich sehe ihre Blicke scheu werden, ich sehe sie die Löffel auf die Herdplatte senken, ich sehe, wie sie sich verraten und betrogen fühlen. Es liegt also kein Auge auf uns, sagen sie. Wir müssen nach uns selber sehen, ungelehrt, alt und verbraucht, wie wir sind? Niemand hat uns eine Rolle zugedacht außer dieser irdischen, jämmerlichen auf einem winzigen Gestirn, das ganz unselbständig ist, um das sich nichts dreht? Kein Sinn liegt in unserm Elend, Hunger ist eben Nichtgegessenhaben, keine Kraftprobe; Anstrengung ist eben Sichbücken und Schleppen, kein Verdienst. Verstehen Sie da, daß ich aus dem Dekret der Heiligen Kongregation ein edles mütterliches Mitleid, eine große Seelengüte herauslese?

GALILEI Seelengüte! Wahrscheinlich meinen Sie nur, es ist nichts da, der Wein ist weggetrunken, ihre Lippen vertrocknen, mögen sie die Soutane* küssen! Warum ist denn nichts da? Warum ist die Ordnung in diesem Land nur die Ordnung einer leeren Lade und die Notwendigkeit nur die, sich zu Tode zu arbeiten? Zwischen strotzenden Weinbergen, am Rand der Weizenfelder! Ihre Campagnabauern bezahlen die Kriege, die der ⌜Stellver-

Obergewand kath. Geistlicher

treter des milden Jesus⌝ in Spanien und Deutschland führt. Warum stellt er die Erde in den Mittelpunkt des Universums? Damit der Stuhl Petri* im Mittelpunkt der Erde stehen kann! Um das letztere handelt es sich. Sie haben recht, es handelt sich nicht um die Planeten, sondern um die Campagnabauern. Und kommen Sie mir nicht mit der Schönheit von Phänomenen, die das Alter vergoldet hat! Wissen Sie, wie die Auster Margaritifera ihre Perle produziert? Indem sie in lebensgefährlicher Krankheit einen unerträglichen Fremdkörper, zum Beispiel ein Sandkorn, in eine Schleimkugel einschließt. Sie geht nahezu drauf bei dem Prozeß. Zum Teufel mit der Perle, ich ziehe die gesunde Auster vor. Tugenden sind nicht an Elend geknüpft, mein Lieber. Wären Ihre Leute wohlhabend und glücklich, könnten sie die Tugenden der Wohlhabenheit und des Glücks entwickeln. Jetzt stammen diese Tugenden Erschöpfter von erschöpften Äckern, und ich lehne sie ab. Herr, meine neuen Wasserpumpen können da mehr Wunder tun als ihre lächerliche übermenschliche Plackerei. – ⌜»Seid fruchtbar und mehret euch«⌝, denn die Äcker sind unfruchtbar, und die Kriege dezimieren euch. Soll ich Ihre Leute anlügen?

DER KLEINE MÖNCH *in großer Bewegung:* Es sind die allerhöchsten Beweggründe, die uns schweigen machen müssen, es ist der Seelenfrieden Unglücklicher!

GALILEI Wollen Sie eine ⌜Cellini-Uhr⌝ sehen, die Kardinal Bellarmins Kutscher heute morgen hier abgegeben hat? Mein Lieber, als Belohnung dafür, daß ich zum Beispiel Ihren guten Eltern den Seelenfrieden lasse, offeriert mir die Behörde den Wein, den sie keltern im Schweiße ihres Antlitzes, das bekanntlich nach Gottes Ebenbild geschaffen ist. Würde ich mich zum Schweigen bereit finden, wären es zweifellos recht niedrige Beweggründe: Wohlleben, keine Verfolgung et cetera.

DER KLEINE MÖNCH Herr Galilei, ich bin Priester.

* Thron des Papstes

GALILEI Sie sind auch Physiker. Und Sie sehen, die Venus hat Phasen. Da, sieh hinaus! *Er zeigt durch das Fenster.* Siehst du dort den kleinen Priap* an der Quelle neben dem Lorbeer? Der Gott der Gärten, der Vögel und der Diebe, der bäurische obszöne Zweitausendjährige! Er hat weniger gelogen. Nichts davon, schön, ich bin ebenfalls ein Sohn der Kirche. Aber kennen Sie die achte Satire des Horaz? Ich lese ihn eben wieder in diesen Tagen, er verleiht einiges Gleichgewicht. *Er greift nach einem kleinen Buch.* Er läßt eben diesen Priap sprechen, eine kleine Statue, die in den ⌜Esquilinischen Gärten⌝ aufgestellt war. Folgendermaßen beginnt es:

Griech.-röm. Fruchtbarkeitsgott

»Ein Feigenklotz, ein wenig nützes Holz
War ich, als einst der Zimmermann, unschlüssig
Ob einen Priap machen oder einen Schemel
Sich für den Gott entschied . . .«

Meinen Sie, Horaz hätte sich etwa den Schemel verbieten und einen Tisch in das Gedicht setzen lassen? Herr, ⌜mein Schönheitssinn⌝ wird verletzt, wenn die Venus in meinem Weltbild ohne Phasen ist! Wir können nicht Maschinerien für das Hochpumpen von Flußwasser erfinden, wenn wir die größte Maschinerie, die uns vor Augen liegt, die der Himmelskörper, nicht studieren sollen. ⌜Die Winkelsumme im Dreieck⌝ kann nicht nach den Bedürfnissen der Kurie* abgeändert werden. Die Bahnen fliegender Körper kann ich nicht so berechnen, daß auch die Ritte der Hexen auf Besenstielen erklärt werden.

Gesamtheit der päpstlichen Behörden und ihrer Amtsträger

DER KLEINE MÖNCH Und Sie meinen nicht, daß die Wahrheit, wenn es Wahrheit ist, sich durchsetzt, auch ohne uns?

GALILEI Nein, nein, nein. Es setzt sich nur so viel Wahrheit durch, als wir durchsetzen; der Sieg der Vernunft kann nur der Sieg der Vernünftigen sein. Eure Campagnabauern schildert Ihr ja schon wie das Moos auf ihren Hütten! Wie kann jemand annehmen, daß die Winkelsumme im Dreieck ihren Bedürfnissen widersprechen könnte! Aber wenn sie nicht in Bewegung kommen und denken lernen, werden ihnen auch die schönsten Bewässerungsanlagen nichts nützen. Zum Teufel, ich sehe die göttliche Geduld Ihrer Leute, aber wo ist ihr göttlicher Zorn?

DER KLEINE MÖNCH Sie sind müde!

GALILEI *wirft ihm einen Packen Manuskripte hin:* Bist du ein Physiker, mein Sohn? ⌜Hier stehen die Gründe, warum das Weltmeer sich in Ebbe und Flut bewegt.⌝ Aber du sollst es nicht lesen, hörst du? Ach, du liest schon? Du bist also ein Physiker?

Der kleine Mönch hat sich in die Papiere vertieft.

GALILEI ⌜Ein Apfel vom Baum der Erkenntnis!⌝ Er stopft ihn schon hinein. Er ist ewig verdammt, aber er muß ihn hineinstopfen, ein unglücklicher Fresser! ⌜Ich denke manchmal⌝: ich ließe mich zehn Klafter* unter der Erde in einen Kerker einsperren, zu dem kein Licht mehr dringt, wenn ich dafür erführe, was das ist: Licht. Und das Schlimmste: was ich weiß, muß ich weitersagen. Wie ein Liebender, wie ein Betrunkener, wie ein Verräter. Es ist ganz und gar ein Laster und führt ins Unglück. Wie lang werde ich es in den Ofen hineinschreien können – das ist die Frage.

DER KLEINE MÖNCH *zeigt auf eine Stelle in den Papieren:* Diesen Satz verstehe ich nicht.

GALILEI Ich erkläre ihn dir, ich erkläre ihn dir.

Alte dt. Längeneinheit, entspricht meist sechs Fuß (etwa 1,70 – 2 m)

9

Nach achtjährigem Schweigen wird Galilei durch die Thronbesteigung eines neuen Papstes, der selbst Wissenschaftler ist, ermutigt, seine Forschungen auf dem verbotenen Feld wieder aufzunehmen. Die Sonnenflecken.

Die Wahrheit im Sacke
Die Zung in der Backe
Schwieg er acht Jahre, dann war's ihm zu lang.
Wahrheit, geh deinen Gang.

Haus des Galilei in Florenz. Galileis Schüler, Federzoni, der kleine Mönch und Andrea Sarti, jetzt ein junger Mann, sind zu einer experimentellen Vorlesung versammelt. Galilei selber liest stehend in einem Buch. – Virginia und die Sarti nähen Brautwäsche.

VIRGINIA Aussteuernähen ist lustiges Nähen. Das ist für einen langen Gästetisch, Ludovico hat gern Gäste. Es muß nur ordentlich sein, seine Mutter sieht jeden Faden. Sie ist mit Vaters Büchern nicht einverstanden. So wenig wie Pater Christophorus.

FRAU SARTI Er hat seit Jahren kein Buch mehr geschrieben.

VIRGINIA Ich glaube, er hat eingesehen, daß er sich getäuscht hat. In Rom hat mir ein sehr hoher geistlicher Herr vieles aus der Astronomie erklärt. Die Entfernungen sind zu weit.

ANDREA *während er das Pensum des Tages auf die Tafel schreibt:* »Donnerstag nachmittag. Schwimmende Körper.« – Wieder Eis; Schaff* mit Wasser; Waage; eiserne Nadel; Aristoteles. *Er holt die Gegenstände.*
Die andern lesen in Büchern nach.
Eintritt Filippo Mucius, ein Gelehrter in mittleren Jahren. Er zeigt ein etwas verstörtes Wesen.

Offenes Gefäß

MUCIUS Können Sie Herrn Galilei sagen, daß er mich empfangen muß? Er verdammt mich, ohne mich zu hören.

FRAU SARTI Aber er will Sie doch nicht empfangen.

MUCIUS Gott wird es Ihnen lohnen, wenn Sie ihn darum bitten. Ich muß ihn sprechen.

VIRGINIA *geht zur Treppe:* Vater!

GALILEI Was gibt es?

VIRGINIA Herr Mucius!

GALILEI *brüsk aufsehend, geht zur Treppe, seine Schüler hinter sich:* Was wünschen Sie?

MUCIUS Herr Galilei, ich bitte Sie um die Erlaubnis, Ihnen die Stellen in meinem Buch zu erklären, wo eine Verdammung der kopernikanischen Lehren von der Drehung der Erde vorzuliegen scheint. Ich habe . . .

GALILEI Was wollen Sie da erklären? Sie befinden sich in Übereinstimmung mit dem Dekret der Heiligen Kongregation von 1616. Sie sind vollständig in Ihrem Recht. Sie haben zwar hier Mathematik studiert, aber das gibt uns kein Recht, von Ihnen zu hören, daß zwei mal zwei vier ist. Sie haben das volle Recht zu sagen, daß dieser Stein *er zieht einen kleinen Stein aus der Tasche und wirft ihn in den Flur hinab* soeben nach oben geflogen ist, ins Dach.

MUCIUS Herr Galilei, ich . . .

GALILEI Sagen Sie nichts von Schwierigkeiten! Ich habe mich von der Pest nicht abhalten lassen, meine Notierungen fortzusetzen.

MUCIUS Herr Galilei, die Pest ist nicht das schlimmste.

GALILEI Ich sage Ihnen: Wer die Wahrheit nicht weiß, der ist bloß ein Dummkopf. Aber wer sie weiß und sie eine Lüge nennt, der ist ein Verbrecher! Gehen Sie hinaus aus meinem Haus!

MUCIUS *tonlos:* Sie haben recht. *Er geht hinaus.*

Galilei geht wieder in sein Studierzimmer.

FEDERZONI Das ist leider so. Er ist kein großer Mann und

gälte wohl gar nichts, wenn er nicht Ihr Schüler gewesen wäre. Aber jetzt sagen sie natürlich: Er hat alles gehört, was Galilei zu lehren hatte, und er muß zugeben, es ist alles falsch.

FRAU SARTI Der Herr tut mir leid.

VIRGINIA Vater mochte ihn zu gern.

FRAU SARTI Ich wollte mit dir gern über deine Heirat sprechen, Virginia. Du bist noch ein so junges Ding, und eine Mutter hast du nicht, und dein Vater legt diese Eisstückchen aufs Wasser. Jedenfalls würde ich dir nicht raten, ihn irgend etwas in bezug auf deine Ehe zu fragen. Er würde eine Woche lang, und zwar beim Essen und wenn die jungen Leute dabei sind, die schrecklichsten Sachen sagen, da er nicht für einen halben Skudo Schamgefühl hat, nie hatte. Ich meine auch nicht solche Sachen, sondern einfach, wie die Zukunft sein wird. Ich kann auch nichts wissen, ich bin eine ungebildete Person. In eine so ernste Angelegenheit geht man aber nicht blind hinein. Ich meine wirklich, du solltest ⌜zu einem richtigen Astronomen⌝ an der Universität gehen, damit er dir das Horoskop stellt, dann weißt du, woran du bist. Warum lachst du?

VIRGINIA Weil ich dort war.

FRAU SARTI *sehr begierig:* Was sagte er?

VIRGINIA Drei Monate lang muß ich achtgeben, weil da die Sonne im ⌜Steinbock steht, aber dann bekomme ich einen äußerst günstigen Aszendenten⌝, und die Wolken zerteilen sich. Wenn ich den Jupiter nicht aus den Augen lasse, kann ich jede Reise unternehmen, da ich ein Steinbock bin.

FRAU SARTI Und Ludovico?

VIRGINIA Er ist ein Löwe. *Nach einer kleinen Pause.* Er soll sinnlich sein.

Pause.

VIRGINIA Diesen Schritt kenne ich. Das ist der Rektor, Herr Gaffone.

Eintritt Herr Gaffone, der Rektor der Universität.

GAFFONE Ich bringe nur ein Buch, das Ihren Vater vielleicht interessiert. Bitte um des Himmels willen, Herrn Galilei nicht zu stören. Ich kann mir nicht helfen, ich habe immer den Eindruck, daß man jede Minute, die man diesem großen Mann stiehlt, Italien stiehlt. Ich lege das Buch fein säuberlich in Ihre Hände und gehe weg, auf Fußspitzen. *Er geht ab.*

Virginia gibt das Buch Federzoni.

GALILEI Worüber ist es?

FEDERZONI Ich weiß nicht. *Buchstabiert.* »De maculis in sole.«

ANDREA Über die Sonnenflecken. Wieder eines!

Federzoni händigt es ihm ärgerlich aus.

ANDREA Horch auf die Widmung! »Der größten lebenden Autorität in der Physik, Galileo Galilei.«

Galilei hat sich wieder in sein Buch vertieft.

ANDREA Ich habe den ⌜Traktat des Fabrizius⌝ aus Holland über die Flecken gelesen. Er glaubt, es sind ⌜Sternenschwärme⌝, die zwischen Erde und Sonne vorüberziehen.

DER KLEINE MÖNCH Ist das nicht zweifelhaft, Herr Galilei?

Galilei antwortet nicht.

ANDREA ⌜In Paris und Prag⌝ glaubt man, es sind Dünste von der Sonne.

FEDERZONI Hm.

ANDREA Federzoni bezweifelt das.

FEDERZONI Laßt mich gefälligst draußen. Ich habe »Hm« gesagt, das ist alles. Ich bin der Linsenschleifer, ich schleife Linsen, und ihr schaut durch und beobachtet den Himmel, und was ihr seht, sind nicht Flecken, sondern »maculis«. Wie soll ich an irgend etwas zweifeln? Wie oft soll ich euch noch sagen, daß ich nicht die Bücher lesen kann, sie sind in Latein. *Im Zorn gestikuliert er mit der Waage. Eine Schale fällt zu Boden. Galilei geht hinüber und hebt sie schweigend vom Boden auf.*

DER KLEINE MÖNCH Da ist Glückseligkeit im Zweifeln; ich frage mich, warum.

ANDREA Ich bin seit zwei Wochen an jedem sonnigen Tag auf den Hausboden geklettert, unter das Schindeldach. Durch die feinen Risse der Schindeln fällt nur ein dünner Strahl. Da kann man das umgekehrte Sonnenbild auf einem Blatt Papier auffangen. Ich habe einen Flecken gesehen, groß wie eine Fliege, verwischt wie ein Wölkchen. Er wanderte. Warum untersuchen wir die Flecken nicht, Herr Galilei?

GALILEI Weil wir über schwimmende Körper arbeiten.

ANDREA Mutter hat Waschkörbe voll von Briefen. Ganz Europa fragt nach Ihrer Meinung. Ihr Ansehen ist so gewachsen, daß Sie nicht schweigen können.

GALILEI Rom hat mein Ansehen wachsen lassen, weil ich geschwiegen habe.

FEDERZONI Aber jetzt können Sie sich Ihr Schweigen nicht mehr leisten.

GALILEI Ich kann es mir auch nicht leisten, daß man mich über einem Holzfeuer röstet wie einen Schinken.

ANDREA Denken Sie denn, die Flecken haben mit dieser Sache zu tun?

Galilei antwortet nicht.

ANDREA Gut, halten wir uns an die Eisstückchen; das kann Ihnen nicht schaden.

GALILEI Richtig. – Unsere These, Andrea!

ANDREA Was das Schwimmen angeht, so nehmen wir an, daß es nicht auf die Form eines Körpers ankommt, sondern darauf, ob er leichter oder schwerer ist als das Wasser.

GALILEI Was sagt Aristoteles?

DER KLEINE MÖNCH »Discus latus platique ...«

GALILEI Übersetzen, übersetzen!

DER KLEINE MÖNCH »Eine breite und flache Eisscheibe vermag auf dem Wasser zu schwimmen, während eine eiserne Nadel untersinkt.«

GALILEI Warum sinkt nach dem Aristoteles das Eis nicht?

DER KLEINE MÖNCH Weil es breit und flach ist und so ⌜das Wasser nicht zu zerteilen vermag⌝.

GALILEI Schön. *Er nimmt ein Eisstück entgegen und legt es in das Schaff.* Jetzt presse ich das Eis gewaltsam auf den Boden des Gefäßes. Ich entferne den Druck meiner Hände. Was geschieht?

DER KLEINE MÖNCH Es steigt wieder in die Höhe.

GALILEI Richtig. Anscheinend vermag es beim Emporsteigen das Wasser zu zerteilen. ⌜Fulganzio!⌝

DER KLEINE MÖNCH Aber warum schwimmt es denn überhaupt? Eis ist schwerer als Wasser, da es verdichtetes Wasser ist.

GALILEI Wie, wenn es verdünntes Wasser wäre?

ANDREA Es muß leichter sein als Wasser, sonst schwämme es nicht.

GALILEI Aha.

ANDREA So wenig wie eine eiserne Nadel schwimmt. Alles, was leichter ist, als Wasser ist, schwimmt, und alles, was schwerer ist, sinkt. Was zu beweisen war.

GALILEI Andrea, du mußt lernen, vorsichtig zu denken. Gib mir die eiserne Nadel. Ein Blatt Papier. Ist Eisen schwerer als Wasser?

ANDREA Ja.

Galilei legt die Nadel auf ein Stück Papier und flößt sie auf das Wasser. Pause.

GALILEI Was geschieht?

FEDERZONI Die Nadel schwimmt! Heiliger Aristoteles, sie haben ihn niemals überprüft!

Sie lachen.

GALILEI ⌜Eine Hauptursache der Armut in den Wissenschaften ist meist eingebildeter Reichtum.⌝ Es ist nicht ihr Ziel, der unendlichen Weisheit eine Tür zu öffnen, sondern eine Grenze zu setzen dem unendlichen Irrtum. Macht eure Notizen.

VIRGINIA Was ist?

FRAU SARTI Jedesmal, wenn sie lachen, kriege ich einen kleinen Schreck. Worüber lachen sie? denke ich.

VIRGINIA Vater sagt: Die Theologen haben ihr Glockenläuten, und die Physiker haben ihr Lachen. 5

FRAU SARTI Aber ich bin froh, daß er wenigstens nicht mehr so oft durch sein Rohr schaut. Das war noch schlimmer.

VIRGINIA Jetzt legt er doch nur Eisstücke aufs Wasser, da kann nicht viel Schlimmes dabei herauskommen. 10

FRAU SARTI Ich weiß nicht.

Herein Ludovico Marsili in Reisekleidung, gefolgt von einem Bedienten, der Gepäckstücke trägt. Virginia läuft auf ihn zu und umarmt ihn.

VIRGINIA Warum hast du mir nicht geschrieben, daß du kommen willst? 15

LUDOVICO Ich war nur in der Nähe, unsere Weinberge bei Bucciole zu studieren, und konnte mich nicht weghalten.

GALILEI *wie kurzsichtig:* Wer ist das? 20

VIRGINIA Ludovico.

DER KLEINE MÖNCH Können Sie ihn nicht sehen?

GALILEI O ja, Ludovico. *Geht ihm entgegen.* Was machen die Pferde?

LUDOVICO Sie sind wohlauf, Herr. 25

GALILEI Sarti, wir feiern. Hol einen Krug von diesem sizilischen Wein, dem alten!

Sarti ab mit Andrea.

LUDOVICO *zu Virginia:* Du siehst blaß aus. Das Landleben wird dir bekommen. Die Mutter erwartet dich im September. 30

VIRGINIA Wart, ich zeig dir das Brautkleid! *Läuft hinaus.*

GALILEI Setz dich.

LUDOVICO Ich höre, Sie haben mehr als tausend Studenten in Ihren Vorlesungen an der Universität, Herr. An was arbeiten Sie im Augenblick? 35

GALILEI Tägliches Einerlei. Kommst du über Rom?
LUDOVICO Ja. – Bevor ich es vergesse, die Mutter beglückwünscht Sie zu Ihrem bewunderungswürdigen Takt angesichts der neuen ⌜Sonnenfleckenorgien⌝ der Holländer.
GALILEI *trocken:* Besten Dank.
Sarti und Andrea bringen Wein und Gläser. Man gruppiert sich um den Tisch.
LUDOVICO Rom hat wieder sein Tagesgespräch für den Februar. Christopher Clavius drückte die Befürchtung aus, der ganze Erde-um-die-Sonne-Zirkus möchte wieder von vorn anfangen durch diese Sonnenflecken.
ANDREA Keine Sorge.
GALILEI Sonstige Neuigkeiten aus der Heiligen Stadt, abgesehen von den Hoffnungen auf neue Sünden meinerseits?
LUDOVICO Ihr wißt natürlich, daß der Heilige Vater* im Sterben liegt?

Papst Gregor XV. (1554–1623)

DER KLEINE MÖNCH Oh.
GALILEI Wer wird als Nachfolger genannt?
LUDOVICO Meistenteils Barberini.
GALILEI Barberini.
ANDREA Herr Galilei kennt Barberini.
DER KLEINE MÖNCH Kardinal Barberini ist Mathematiker.
FEDERZONI Ein Wissenschaftler auf dem Heiligen Stuhl!
Pause.
GALILEI So, sie brauchen jetzt Männer wie Barberini, die etwas Mathematik gelesen haben! Die Dinge kommen in Bewegung. Federzoni, wir mögen noch eine Zeit erleben, wo wir uns nicht mehr wie Verbrecher umzublikken haben, wenn wir sagen: zwei mal zwei ist vier. *Zu Ludovico:* Der Wein schmeckt mir, Ludovico. Was sagst du zu ihm?
LUDOVICO Er ist gut.
GALILEI Ich kenne den Weinberg. Der Hang ist steil und steinig, die Traube fast blau. Ich liebe diesen Wein.

LUDOVICO Ja, Herr.

GALILEI Er hat kleine Schatten in sich. Und er ist beinahe süß, läßt es aber bei dem »beinahe« bewenden. – Andrea, räum das Zeug weg, Eis, Schaff und Nadel. – Ich schätze die Tröstungen des Fleisches. Ich habe keine Geduld mit den feigen Seelen, die dann von Schwächen sprechen. Ich sage: Genießen ist eine Leistung.

DER KLEINE MÖNCH Was beabsichtigen Sie?

FEDERZONI Wir beginnen wieder mit dem Erde-um-die-Sonne-Zirkus.

ANDREA *summend:*

Die Schrift sagt, sie steht still. Und die Doktoren
Beweisen, daß sie still steht, noch und noch.
Der Heilige Vater nimmt sie bei den Ohren
Und hält sie fest. Und sie bewegt sich doch.

Andrea, Federzoni und der kleine Mönch eilen zum Experimentiertisch und räumen ihn ab.

ANDREA Wir könnten herausfinden, daß die Sonne sich ebenfalls dreht. Wie würde dir das gefallen, Marsili?

LUDOVICO Woher die Erregung?

FRAU SARTI Sie wollen doch nicht wieder mit diesem Teufelszeug anfangen, Herr Galilei?

GALILEI Ich weiß jetzt, warum deine Mutter dich zu mir schickte. Barberini im Aufstieg! Das Wissen wird eine Leidenschaft sein und die Forschung eine Wollust. Clavius hat recht, diese Sonnenflecken interessieren mich. Schmeckt dir mein Wein, Ludovico?

LUDOVICO Ich sagte es Ihnen, Herr.

GALILEI Er schmeckt dir wirklich?

LUDOVICO *steif:* Er schmeckt mir.

GALILEI Würdest du so weit gehen, eines Mannes Wein oder Tochter anzunehmen, ohne zu verlangen, daß er seinen Beruf an den Nagel hängt? Was hat meine Astronomie mit meiner Tochter zu tun? Die Phasen der Venus ändern ihren Hintern nicht.

FRAU SARTI Seien Sie nicht so ordinär. Ich hole sofort Virginia.

LUDOVICO *hält sie zurück:* Die Ehen in Familien wie der meinen werden nicht nur nach geschlechtlichen Gesichtspunkten geschlossen.

GALILEI Hat man dich acht Jahre lang zurückgehalten, meine Tochter zu ehelichen, während ich eine Probezeit zu absolvieren hatte?

LUDOVICO Meine Frau wird auch im Kirchenstuhl unserer Dorfkirche Figur machen müssen.

GALILEI Du meinst, deine Bauern werden es von der Heiligkeit der Gutsherrin abhängig machen, ob sie Pachtzinsen zahlen oder nicht?

LUDOVICO In gewisser Weise.

GALILEI Andrea, Fulganzio, holt den Messingspiegel und den Schirm! Darauf werfen wir das Sonnenbild, unsrer Augen wegen; das ist deine Methode, Andrea.

Andrea und der kleine Mönch holen Spiegel und Schirm.

LUDOVICO Sie haben in Rom seinerzeit unterschrieben, daß Sie sich nicht mehr in diese Erde-um-die-Sonne-Sache einmischen würden, Herr.

GALILEI Ach das! Damals hatten wir einen rückschrittlichen Papst!

FRAU SARTI Hatten! Und Seine Heiligkeit ist noch nicht einmal gestorben!

GALILEI Nahezu, nahezu! – Legt ⌜ein Netz von Quadraten⌝ über den Schirm. Wir gehen methodisch vor. Und dann werden wir ihnen ihre Briefe beantworten können, wie, Andrea?

FRAU SARTI »Nahezu!« Fünfzigmal wiegt der Mann seine Eisstückchen ab, aber wenn es zu etwas kommt, was in seinen Kram paßt, glaubt er es blind!

Der Schirm wird aufgestellt.

LUDOVICO Sollte Seine Heiligkeit sterben, Herr Galilei, wird der nächste Papst, wer immer es sein wird und wie groß immer seine Liebe zu den Wissenschaften sein mag, doch auch beachten müssen, wie groß die Liebe ist, welche die vornehmsten Familien des Landes zu ihm fühlen.

DER KLEINE MÖNCH Gott machte die physische Welt, Ludovico; Gott machte das menschliche Gehirn; ⌜Gott wird die Physik erlauben⌝. 5

FRAU SARTI Galileo, jetzt werde ich dir etwas sagen. Ich habe meinen Sohn in Sünde fallen sehen für diese »Experimente« und »Theorien« und »Observationen«*, und ich habe nichts machen können. Du hast dich aufgeworfen gegen die Obrigkeiten, und sie haben dich schon einmal verwarnt. Die höchsten Kardinäle haben in dich hineingeredet wie in ein krankes Roß. Es hat eine Zeitlang geholfen, aber vor zwei Monaten, kurz nach Mariä Empfängnis* habe ich dich wieder erwischt, wie du insgeheim mit diesen »Observationen« angefangen hast. Auf dem Dachboden! Ich habe nicht viel gesagt, aber ich wußte Bescheid. Ich bin gelaufen und habe eine Kerze gespendet für den Heiligen Joseph. Es geht über meine Kräfte. Wenn ich allein mit dir bin, zeigst du Anzeichen von Verstand und sagst mir, du weißt, du mußt dich verhalten, weil es gefährlich ist, aber zwei Tage Experimente, und es ist so schlimm mit dir wie je. Wenn ich meine ewige Seligkeit einbüße, weil ich zu einem Ketzer halte, das ist meine Sache, aber du hast kein Recht, auf dem Glück deiner Tochter herumzutrampeln mit deinen großen Füßen! 10 15 20 25

Beobachtung; hier im naturwissenschaftlichen Sinne gebraucht

Kath. Fest am 8. Dezember

GALILEI *mürrisch:* Bringt das Teleskop!

LUDOVICO Giuseppe, bring das Gepäck zurück in die Kutsche. 30

Der Bediente ab.

FRAU SARTI Das übersteht sie nicht. Sie können ihr es selber sagen! *Läuft weg, noch den Krug in Händen.*

LUDOVICO Ich sehe, Sie haben Ihre Vorbereitungen getroffen. Herr Galilei, die Mutter und ich leben dreivier- 35

tel des Jahres auf dem Gut in der Campagna, und wir können Ihnen bezeugen, daß unsere Bauern sich durch Ihre Traktate über die Trabanten des Jupiter nicht beunruhigen. Ihre Feldarbeit ist zu schwer. Jedoch könnte
5 es sie verstören, wenn sie erführen, daß frivole Angriffe auf die heiligen Doktrinen* der Kirche nunmehr ungestraft blieben. Vergessen Sie nicht ganz, daß diese Bedauernswerten in ihrem vertierten Zustand alles durcheinanderbringen. Sie sind wirkliche Tiere, Sie können
10 sich das kaum vorstellen. Auf das Gerücht, daß auf einem Apfelbaum eine Birne gesehen wurde, laufen sie von der Feldarbeit weg, um darüber zu schwatzen.

Die unveränderlichen, von der Bibel hergeleiteten Glaubensgrundsätze der Kirche

GALILEI *interessiert:* Ja?

LUDOVICO Tiere. Wenn sie aufs Gut kommen, sich über
15 eine Kleinigkeit zu beschweren, ist die Mutter gezwungen, vor ihren Augen einen Hund auspeitschen zu lassen, das allein kann sie an Zucht und Ordnung und Höflichkeit erinnern. Sie, Herr Galilei, sehen gelegentlich von der Reisekutsche aus blühende Maisfelder, Sie essen
20 geistesabwesend unsere Oliven und unsern Käse, und Sie haben keine Ahnung, welche Mühe es kostet, das zu ziehen, wieviel Aufsicht!

GALILEI Junger Mann, ich esse meine Oliven nicht geistesabwesend. *Grob.* Du hältst mich auf. *Ruft hinaus:* Habt
25 ihr den Schirm?

ANDREA Ja. Kommen Sie?

GALILEI Ihr peitscht nicht nur Hunde, um sie in Zucht zu halten, wie, Marsili?

LUDOVICO Herr Galilei. Sie haben ein wunderbares Ge-
30 hirn. Schade.

DER KLEINE MÖNCH *erstaunt:* Er droht Ihnen.

GALILEI Ja, ich könnte seine Bauern aufstören, neue Gedanken zu denken. Und seine Dienstleute und seine Verwalter.

35 FEDERZONI Wie? Keiner von ihnen liest Latein.

GALILEI Ich könnte ⌜in der Sprache des Volkes⌝ schreiben, für die vielen, anstatt in Latein für die wenigen. Für die neuen Gedanken brauchen wir Leute, die mit den Händen arbeiten. Wer sonst wünscht zu erfahren, was die Ursachen der Dinge sind? Die das Brot nur auf dem Tische sehen, wollen nicht wissen, wie es gebacken wurde; das Pack dankt lieber Gott als dem Bäcker. Aber die das Brot machen, werden verstehen, daß nichts sich bewegt, was nicht bewegt wird. Deine Schwester an der Olivenpresse, Fulganzio, wird sich nicht groß wundern, sondern vermutlich lachen, wenn sie hört, daß die Sonne kein goldenes Adelsschild ist, sondern ein Hebel: die Erde bewegt sich, weil die Sonne sie bewegt.

LUDOVICO Sie werden für immer der Sklave Ihrer Leidenschaften sein. Entschuldigen Sie mich bei Virginia; ich denke, es ist besser, ich sehe sie jetzt nicht.

GALILEI Die Mitgift steht zu Ihrer Verfügung, jederzeit.

LUDOVICO Guten Tag. *Er geht.*

ANDREA Und empfehlen Sie uns allen Marsilis!

FEDERZONI Die der Erde befehlen stillzustehen, damit ihre Schlösser nicht herunterpurzeln!

ANDREA Und den Cenzis und den Villanis!

FEDERZONI Den Cervillis!

ANDREA Den Lecchis!

FEDERZONI Den Pirleonis!

ANDREA Die dem Papst nur die Füße küssen wollen, wenn er damit das Volk niedertritt!

DER KLEINE MÖNCH *ebenfalls an den Apparaten:* Der neue Papst wird ein aufgeklärter Mann sein.

GALILEI So treten wir ein in die Beobachtung dieser Flekken an der Sonne, welche uns interessieren, auf eigene Gefahr, ohne zuviel auf den Schutz eines neuen Papstes zu zählen.

ANDREA *unterbrechend:* Aber mit voller Zuversicht, Herrn ⌜Fabrizius' Sternschatten und die Sonnendünste von Prag⌝ und Paris zu zerstreuen und zu beweisen ⌜die Rotation der Sonne⌝.

GALILEI Um mit einiger Zuversicht die Rotation der Sonne zu beweisen. Meine Absicht ist nicht, zu beweisen, daß ich bisher recht gehabt habe, sondern: herauszufinden, ob. Ich sage: ⌜laßt alle Hoffnung fahren, ihr, die ihr in die Beobachtung eintretet⌝. Vielleicht sind es Dünste, vielleicht sind es Flecken, aber bevor wir Flecken annehmen, welche uns gelegen kämen, wollen wir lieber annehmen, daß es Fischschwänze sind. Ja, wir werden alles, alles noch einmal in Frage stellen. Und wir werden nicht mit Siebenmeilenstiefeln vorwärtsgehen, sondern im Schneckentempo. Und was wir heute finden, werden wir morgen von der Tafel streichen und erst wieder anschreiben, wenn wir es noch einmal gefunden haben. Und was wir zu finden wünschen, das werden wir, gefunden, mit besonderem Mißtrauen ansehen. Also werden wir an die Beobachtung der Sonne herangehen mit dem unerbittlichen Entschluß, den Stillstand der Erde nachzuweisen! Und erst wenn wir gescheitert sind, vollständig und hoffnungslos geschlagen und unsere Wunden leckend, in traurigster Verfassung, werden wir zu fragen anfangen, ob wir nicht doch recht gehabt haben und die Erde sich dreht! *Mit einem Zwinkern.* Sollte uns aber dann jede andere Annahme als diese unter den Händen zerronnen sein, dann keine Gnade mehr mit denen, die nicht geforscht haben und doch reden. Nehmt das Tuch vom Rohr und richtet es auf die Sonne! *Er stellt den Messingspiegel ein.*

DER KLEINE MÖNCH Ich wußte, daß Sie schon mit der Arbeit begonnen hatten. Ich wußte es, als Sie Herrn Marsili nicht erkannten.

Sie beginnen schweigend die Untersuchung. Wenn das flammende Abbild der Sonne auf dem Schirm erscheint, kommt Virginia gelaufen, im Brautkleid.

VIRGINIA Du hast ihn weggeschickt, Vater! *Sie wird ohnmächtig.*

Andrea und der kleine Mönch eilen auf sie zu.

GALILEI Ich muß es wissen.

10

Im folgenden Jahrzehnt findet Galileis Lehre beim Volk Verbreitung. Pamphletisten* und Balladensänger greifen überall die neuen Ideen auf. Während der Fastnacht 1632* wählen viele Städte Italiens als Thema der Fastnachtsumzüge der Gilden die Astronomie.

Verfasser von Streit- und Schmähschriften

Erscheinungsdatum von Galileis Werk *Dialog* in Florenz

Ein halb verhungertes Schaustellerpaar mit einem fünfjährigen Mädchen und einem Säugling kommt auf einen Marktplatz, wo eine Menge, teilweise maskiert, auf den Fastnachtsumzug wartet. Beide schleppen Bündel, eine Trommel und andere Utensilien.

DER BALLADENSÄNGER *trommelnd:* Geehrte Einwohner, Damen und Herrn! Vor der großen Fastnachtsprozession der Gilden bringen wir das neueste Florentiner Lied, das man in ganz Oberitalien singt und das wir mit großen Kosten hier importiert haben. Es betitelt sich: Die erschröckliche Lehre und Meinung des ⌜Herrn Hofphysikers⌝ Galileo Galilei oder Ein Vorgeschmack der Zukunft. *Er singt:*

Als der Allmächtige sprach sein großes Werde
Rief er die Sonn, daß die auf sein Geheiß
Ihm eine Lampe trage um die Erde
Als kleine Magd in ordentlichem Kreis.
Denn sein Wunsch war, daß sich ein jeder kehr
Fortan um den, der besser ist als er.
Und es begann sich zu kehren
Um die Gewichtigen die Minderen
Um die Vorderen die Hinteren
Wie im Himmel, so auch auf Erden.
Und um den Papst zirkulieren die Kardinäle.
Und um die Kardinäle zirkulieren die Bischöfe.

Ratsherren

Und um die Bischöfe zirkulieren die Sekretäre.
Und um die Sekretäre zirkulieren die Stadtschöffen*.
Und um die Stadtschöffen zirkulieren die Handwerker.
Und um die Handwerker zirkulieren die Dienstleute. 5
Und um die Dienstleute zirkulieren die Hunde, die Hühner und die Bettler.

Ordnung aller Ordnungen

Ewig gültige Regel

Das, ihr guten Leute, ist die Große Ordnung, ordo ordinum*, wie die Herren Theologen sagen, regula aeternis*, die Regel der Regeln, aber was, ihr lieben Leute, 10
geschah? *Er singt:*

Auf stund der Doktor Galilei
(Schmiß die Bibel weg, zückte sein Fernrohr, warf einen Blick auf das Universum)
⌜Und sprach zur Sonn: Bleib stehn!⌝ 15

Schöpfung Gottes

Es soll jetzt die creatio dei*
Mal andersrum sich drehn.
Jetzt soll sich mal die Herrin, he!
Um ihre Dienstmagd drehn.
Das ist doch allerhand? Ihr Leut, das ist kein Scherz! 20
Die Dienstleut werden sowieso tagtäglich dreister!
Denn eins ist wahr: Spaß ist doch rar. Und Hand aufs Herz:
Wer wär nicht auch mal gern sein eigner Herr und Meister? 25

Geehrte Einwohner, solche Lehren sind ganz unmöglich.
Er singt:

Der Knecht würd faul, die Magd würd keß
Der Schlachterhund würd fett 30
Der Meßbub käm nicht mehr zur Meß

Der Lehrling blieb im Bett.
Nein, nein, nein! Mit der Bibel, Leut, treibt keinen Scherz!
Macht man den Strick uns ums Genick nicht dick, dann reißt er!
Denn eins ist wahr: Spaß ist doch rar. Und Hand aufs Herz:
Wer wär nicht auch mal gern sein eigner Herr und Meister?

Ihr guten Leute, werft einen Blick in die Zukunft, wie der gelehrte Doktor Galileo Galilei sie voraussagt. *Er singt:*

Zwei Hausfraun stehn am Fischmarkt draus
Und wissen nicht aus noch ein:
Das Fischweib zieht ein' Brotkipf* raus
Und frißt ihren Fisch allein!
Der Maurer hebt den Baugrund aus
Und holt des Bauherrn Stein
Und wenn er's dann gebaut, das Haus
Dann zieht er selber ein!
Ja, darf denn das sein? Nein, nein, nein, das ist kein Scherz!
Macht man den Strick uns ums Genick nicht dick, dann reißt er!
Denn eins ist wahr: Spaß ist doch rar. Und Hand aufs Herz:
Wer wär nicht auch mal gern sein eigner Herr und Meister?
Der Pächter tritt jetzt in den Hintern
Den Pachtherrn ohne Scham
Die Pächtersfrau gibt ihren Kindern
Milch, die der Pfaff bekam.
Nein, nein, ihr Leut! Mit der Bibel, Leut, treibt keinen

Längliches Brot

Scherz!
Macht man den Strick uns ums Genick nicht dick, dann reißt er!
Denn eins ist wahr: Spaß ist doch rar. Und Hand aufs Herz: 5
Wer wär nicht auch mal gern sein eigner Herr und Meister?

DAS WEIB DES SÄNGERS
Jüngst bin ich aus der Reih getanzt.
Da sagte ich zu meinem Mann: 10
Will sehen, ob nicht, was du kannst
Ein andrer Fixstern besser kann.

DER SÄNGER
Nein, nein, nein, nein, nein, nein! Schluß, Galilei, Schluß! 15
Nehmt einem tollen Hund den Maulkorb ab, dann beißt er.
Freilich, 's ist wahr: Spaß ist halt rar und muß ist muß:
Wer wär nicht auch mal gern sein eigner Herr und Meister? 20

BEIDE
Ihr, die auf Erden lebt in Ach und Weh
Auf, sammelt eure schwachen Lebensgeister
Und lernt vom guten Doktor Galuleh
Des Erdenglückes großes ABC. 25
Gehorsam war des Menschen Kreuz von je!
Wer wär nicht auch mal gern sein eigner Herr und Meister?

DER SÄNGER Geehrte Einwohner, seht Galileo Galileis phänomenale Entdeckung: Die Erde kreisend um die 30 Sonne! *Er bearbeitet heftig die Trommel.*
Das Weib und das Kind treten vor. Das Weib hält ein rohes Abbild der Sonne, und das Kind, über dem Kopf einen Kürbis, Abbild der Erde, haltend, umkreist das

Weib. Der Sänger deutet exaltiert auf das Kind, als vollführe es einen gefährlichen Salto mortale*, wenn es auf einzelne Trommelschläge ruckartig Schritt für Schritt macht. Dann kommt Trommelschlag von hinten.*

Aufgeregt

»Todessprung«

5 EINE TIEFE STIMME *ruft:* Die Prozession!

Herein zwei Männer in Lumpen, die ein Wägelchen ziehen. Auf einem lächerlichen Thron sitzt »Der Großherzog von Florenz«, eine Figur, mit einer Pappendeckelkrone, gekleidet in Sackleinwand, der durch ein Tele-
10 *skop späht. Über dem Thron ein Schild »Schaut aus nach Verdruß«. Dann marschieren vier maskierte Männer ein, die eine große Blache* tragen. Sie halten an und schleudern eine Puppe in die Luft, die einen Kardinal darstellt. Ein Zwerg hat sich seitwärts aufgestellt mit*
15 *einem Schild »Das neue Zeitalter«. In der Menge hebt sich ein Bettler an seinen Krücken hoch und stampft tanzend auf den Boden, bis er krachend niederfällt. Herein eine überlebensgroße Puppe, Galileo Galilei, die sich vor dem Publikum verbeugt. Vor ihr trägt ein Kind eine*
20 *riesige Bibel, aufgeschlagen, mit ausgekreuzten Seiten.*

Großes Leinentuch, Plane

DER BALLADENSÄNGER Galileo Galilei, der Bibelzertrümmerer!

Großes Gelächter der Menge.

11
⌜1633⌝: Die Inquisition beordert den weltbekannten Forscher nach Rom.

Die Tief ist heiß, die Höh'n sind kühl
Die Gass ist laut, der Hof ist still. 5

Vorzimmer und Treppe im Palast der Medici in Florenz. Galilei und seine Tochter warten, vom Großherzog vorgelassen zu werden.

VIRGINIA Es dauert lang.
GALILEI Ja. 10
VIRGINIA Da ist dieser Mensch wieder, der uns hierher folgte. *Sie weist auf ein Individuum, das vorbeigeht, ohne sie zu beachten.*
GALILEI *dessen Augen gelitten haben:* Ich kenne ihn nicht.
VIRGINIA Aber ich habe ihn öfter gesehen in den letzten 15 Tagen. Er ist mir unheimlich.
GALILEI Unsinn. Wir sind in Florenz und nicht unter korsischen Räubern*.

Die Mittelmeerinsel Korsika gilt als Stützpunkt von Piraten.

VIRGINIA Da kommt Rektor Gaffone.
GALILEI Den fürchte ich. Der Dummkopf wird mich wie- 20 der in ein stundenlanges Gespräch verwickeln.
Die Treppe herab kommt Herr Gaffone, der Rektor der Universität. Er erschrickt deutlich, als er Galilei sieht, und geht, den Kopf krampfhaft weggedreht, steif an den beiden vorüber, kaum nickend. 25
GALILEI Was ist in den gefahren? Meine Augen sind heute wieder schlecht. Hat er überhaupt gegrüßt?
VIRGINIA Kaum. – Was steht in deinem Buch*? Ist es möglich, daß man es für ketzerisch hält?

Galileis *Dialog* (1632)

GALILEI Du hängst zuviel in den Kirchen herum. Das 30 Frühaufstehen und Indiemesselaufen verdirbt deinen Teint noch vollends. Du betest für mich, wie?

VIRGINIA Da ist Herr Vanni, der Eisengießer, für den du die Schmelzanlage entworfen hast. Vergiß nicht, dich für die Wachteln zu bedanken.

Die Treppe herab ist ein Mann gekommen.

VANNI Haben die Wachteln geschmeckt, die ich Ihnen schickte, Herr Galilei?

GALILEI Die Wachteln waren exzellent, Meister Vanni, nochmals besten Dank.

VANNI Oben war von Ihnen die Rede. Man macht Sie verantwortlich für die Pamphlete gegen die Bibel, die neuerdings überall verkauft werden.

GALILEI Von Pamphleten weiß ich nichts. Die Bibel und der Homer sind meine Lieblingslektüre.

VANNI Und auch, wenn das nicht so wäre: ich möchte die Gelegenheit benützen, Ihnen zu versichern, daß wir von der Manufaktur auf Ihrer Seite sind. Ich bin nicht ein Mann, der viel von den Bewegungen der Sterne weiß, aber für mich sind Sie der Mann, der für die Freiheit kämpft, neue Dinge lehren zu dürfen. Nehmen Sie diesen mechanischen Kultivator aus Deutschland, den Sie mir beschrieben. Im letzten Jahr allein erschienen fünf Bände über Agrikultur in London. Wir wären hier schon dankbar für ein Buch über die holländischen Kanäle. Dieselben Kreise, die Ihnen Schwierigkeiten machen, erlauben den Ärzten von Bologna nicht, Leichen aufzuschneiden für Forschungszwecke.

GALILEI Ihre Stimme trägt, Vanni.

VANNI Das hoffe ich. Wissen Sie, daß sie in Amsterdam und London Geldmärkte haben? Gewerbeschulen ebenfalls. Regelmäßig erscheinende Zeitungen mit Nachrichten. Hier haben wir nicht einmal die Freiheit, Geld zu machen. Man ist gegen Eisengießereien, weil man der Ansicht ist, zu viele Arbeiter an einem Ort fördere die Unmoral! Ich stehe und falle mit Männern wie Sie, Herr Galilei. Wenn man je versuchen sollte, etwas gegen Sie zu machen, dann erinnern Sie sich bitte, daß Sie Freunde in allen Geschäftszweigen haben. Hinter Ihnen stehen die oberitalienischen Städte, Herr Galilei.

GALILEI Soviel mir bekannt ist, hat niemand die Absicht, gegen mich etwas zu machen. 5

VANNI Nein?

GALILEI Nein.

VANNI Meiner Meinung nach wären Sie in Venedig besser aufgehoben. Weniger Schwarzröcke*. Von dort aus könnten Sie den Kampf aufnehmen. Ich habe eine Reisekutsche und Pferde, Herr Galilei. 10

Abwertender Ausdruck für Geistliche

GALILEI Ich kann mich nicht als Flüchtling sehen. Ich schätze meine Bequemlichkeit.

VANNI Sicher. Aber nach dem, was ich da oben hörte, handelt es sich um Eile. Ich habe den Eindruck, man würde Sie gerade jetzt lieber nicht in Florenz wissen. 15

GALILEI Unsinn. Der Großherzog ist mein Schüler, und außerdem würde der Papst selber jedem Versuch, mir aus irgendwas einen Strick zu drehen, ein geharnischtes Nein entgegensetzen. 20

VANNI Sie scheinen Ihre Freunde nicht von Ihren Feinden auseinanderzukennen, Herr Galilei.

GALILEI Ich kenne Macht von Ohnmacht auseinander. *Er geht brüsk weg.*

VANNI Schön. Ich wünsche Ihnen Glück. *Ab.* 25

GALILEI *zurück bei Virginia:* Jeder Nächstbeste mit irgendeiner Beschwerde hierzulande wählt mich als seinen Wortführer, besonders an Orten, wo es mir nicht gerade nützt. Ich habe ein Buch* geschrieben über die Mechanik des Universums, das ist alles. Was daraus gemacht oder nicht gemacht wird, geht mich nichts an. 30

Galileis *Dialog* (1632)

VIRGINIA *laut:* Wenn die Leute wüßten, wie du verurteilt hast, was letzte Fastnacht überall passierte!

GALILEI Ja. Gib einem Bär Honig, und du wirst deinen Arm einbüßen, wenn das Vieh Hunger hat! 35

VIRGINIA *leise:* Hat dich der Großherzog überhaupt für heute bestellt?
GALILEI Nein, aber ich habe mich ansagen lassen. Er will das Buch haben, er hat dafür bezahlt. Frag den Beamten
5 und beschwer dich, daß man uns hier warten läßt.
VIRGINIA *von dem Individuum gefolgt, geht einen Beamten ansprechen:* Herr Mincio, ist Seine Hoheit verständigt, daß mein Vater ihn zu sprechen wünscht?
DER BEAMTE Wie soll ich das wissen?
10 VIRGINIA Das ist keine Antwort.
DER BEAMTE Nein?
VIRGINIA Sie haben höflich zu sein.
Der Beamte wendet ihr halb die Schulter zu und gähnt, das Individuum ansehend.
15 VIRGINIA *zurück:* Er sagt, der Großherzog ist noch beschäftigt.
GALILEI Ich hörte dich etwas von »höflich« sagen. Was war das?
VIRGINIA Ich dankte ihm für seine höfliche Auskunft,
20 nichts sonst. Kannst du das Buch nicht hier zurücklassen? Du verlierst nur Zeit.
GALILEI Ich fange an, mich zu fragen, was diese Zeit wert ist. Möglich, daß ich der Einladung Sagredos nach Padua für ein paar Wochen doch folge. Meine Gesundheit
25 ist nicht die beste.
VIRGINIA Du könntest nicht ohne deine Bücher leben.
GALILEI Etwas von dem sizilischen Wein könnte man in ein, zwei Kisten in der Kutsche mitnehmen.
VIRGINIA Du hast immer gesagt, er verträgt Transporta-
30 tion nicht. Und der Hof schuldet dir noch drei Monate Gehalt. Das schickt man dir nicht nach.
GALILEI Das ist wahr.
Der Kardinal Inquisitor kommt die Treppe herab.
VIRGINIA Der Kardinal Inquisitor.
35 *Vorbeigehend verbeugt er sich tief vor Galilei.*

VIRGINIA Was will der Kardinal Inquisitor in Florenz, Vater?

GALILEI Ich weiß nicht. Er benahm sich nicht ohne Respekt. Ich wußte, was ich tat, als ich nach Florenz ging und all die Jahre lang schwieg. Sie haben mich so hoch gelobt, daß sie mich jetzt nehmen müssen, wie ich bin. 5

DER BEAMTE *ruft aus:* Seine Hoheit, der Großherzog!

Cosmo de Medici kommt die Treppe herab. Galilei geht auf ihn zu. Cosmo hält ein wenig verlegen an.

GALILEI Ich wollte Eurer Hoheit meine Dialoge über die beiden größten Weltsysteme ... 10

Ein frühes Augenleiden führt im Winter 1637/38 zu Galileis völliger Erblindung.

COSMO Aha, aha. Wie steht es mit Ihren Augen?*

GALILEI Nicht zum besten, Eure Hoheit. Wenn Eure Hoheit gestatten, ich habe das Buch ...

COSMO Der Zustand Ihrer Augen beunruhigt mich. Wirklich, er beunruhigt mich. Er zeigt mir, daß Sie Ihr vortreffliches Rohr vielleicht ein wenig zu eifrig benützen, nicht? 15

Er geht weiter, ohne das Buch entgegenzunehmen.

GALILEI Er hat das Buch nicht genommen, wie? 20

VIRGINIA Vater, ich fürchte mich.

GALILEI *gedämpft und fest:* Zeig keine Gefühle. Wir gehen von hier nicht nach Hause, sondern zum Glasschneider Volpi. Ich habe mit ihm verabredet, daß im anliegenden Hof der Weinschänke ein Wagen mit leeren Weinfässern immer bereit steht, der mich aus der Stadt bringen kann. 25

VIRGINIA Du wußtest ...

GALILEI Sieh dich nicht um.

Sie wollen weg.

EIN HOHER BEAMTER *kommt die Treppe herab:* Herr Galilei, ich habe den Auftrag, Ihnen mitzuteilen, daß der florentinische Hof nicht länger imstande ist, dem Wunsch der Heiligen Inquisition, Sie in Rom zu verhören, Widerstand entgegenzusetzen. Der Wagen der Heiligen Inquisition erwartet Sie, Herr Galilei. 30 35

12
Der Papst

Gemach des Vatikans. Papst Urban VIII. (vormals Kardinal Barberini) hat den Kardinal Inquisitor empfangen. Während der Audienz wird er angekleidet. Von außen das Geschlurfe vieler Füße.

DER PAPST *sehr laut:* Nein! Nein! Nein!

DER INQUISITOR So wollen Eure Heiligkeit Ihren sich nun versammelnden Doktoren aller Fakultäten, Vertretern aller Heiligen Orden und der gesamten Geistlichkeit, welche alle in kindlichem Glauben an das Wort Gottes, niedergelegt in der Schrift, gekommen sind, Eurer Heiligkeit Bestätigung ihres Glaubens zu vernehmen, mitteilen, daß die Schrift nicht länger für wahr gelten könne?

DER PAPST Ich lasse nicht die Rechentafel zerbrechen. Nein!

DER INQUISITOR Daß es die Rechentafel ist und nicht der Geist der Auflehnung und des Zweifels, das sagen diese Leute. Aber es ist nicht die Rechentafel. Sondern eine entsetzliche Unruhe ist in die Welt gekommen. Es ist die Unruhe ihres eigenen Gehirns, die diese auf die unbewegliche Erde übertragen. Sie schreien: die Zahlen zwingen uns! Aber woher kommen ihre Zahlen? Jedermann weiß, daß sie vom Zweifel kommen. Diese Menschen zweifeln an allem. Sollen wir die menschliche Gesellschaft ⌜auf den Zweifel begründen⌝ und nicht mehr auf den Glauben? ⌜»Du bist mein Herr, aber ich zweifle, ob das gut ist.« »Das ist dein Haus und deine Frau, aber ich zweifle, ob sie nicht mein sein sollen.«⌝ Andererseits findet ⌜Eurer Heiligkeit Liebe zur Kunst⌝, der wir so schöne Sammlungen verdanken, schimpfliche Auslegungen wie die auf den Häuserwänden Roms zu lesende: »Was die Barbaren Rom gelassen haben, rauben ihm die Barberinis.« Und im Auslande? Es hat Gott gefallen, den Heiligen Stuhl schweren Prüfungen zu unterwerfen. ⌜Eurer Heiligkeit spanische Politik⌝ wird von Menschen, denen die Einsicht mangelt, nicht verstanden, ⌜das Zerwürfnis mit dem Kaiser⌝ bedauert. Seit eineinhalb Jahrzehnten ist ⌜Deutschland eine Fleischbank⌝, und man zerfleischt sich mit Bibelzitaten auf den Lippen. Und jetzt, wo unter der Pest, dem Krieg und der Reformation die Christenheit zu einigen Häuflein zusammenschmilzt, geht das Gerücht über Europa, daß Sie mit dem ⌜lutherischen Schweden in geheimem Bündnis⌝ stehen, um den katholischen Kaiser zu schwächen. Und da richten diese Würmer von Mathematikern ihre Rohre auf den Himmel und teilen der Welt mit, daß Eure Heiligkeit auch hier, in dem einzigen Raum, den man Ihnen noch nicht bestreitet, schlecht beschlagen ist. Man könnte sich fragen: welch ein Interesse plötzlich an einer so abliegenden Wissenschaft wie der Astronomie! Ist es nicht gleichgültig, wie diese Kugeln sich drehen? Aber niemand in ganz Italien, das bis auf die Pferdeknechte hinab durch das böse Beispiel dieses Florentiners von den Phasen der Venus schwatzt, denkt nicht zugleich an so vieles, was in den Schulen und an anderen Orten für unumstößlich erklärt wird und so sehr lästig ist. Was käme heraus, wenn diese alle, ⌜schwach im Fleisch⌝ und zu jedem Exzeß geneigt, nur noch an die eigene Vernunft glaubten, die dieser Wahnsinnige für die einzige Instanz erklärt! Sie möchten, erst einmal zweifelnd, ob die Sonne stillstand zu Gibeon, ihren schmutzigen Zweifel an den Kollekten* üben! Seit sie über das Meer fahren – ich habe nichts dagegen –, setzen sie ihr Vertrauen auf eine Messingkugel, die sie den ⌜Kompaß⌝ nennen, nicht mehr auf Gott. Dieser Galilei hat schon als junger Mensch

Kirchenspenden der Gläubigen

⌜über die Maschinen geschrieben⌝. Mit den Maschinen wollen sie Wunder tun. Was für welche? Gott brauchen sie jedenfalls nicht mehr, aber was sollen es für Wunder sein? Zum Beispiel soll es nicht mehr Oben und Unten geben. Sie brauchen es nicht mehr. Der Aristoteles, der für sie sonst ein toter Hund ist, hat gesagt – und das zitieren sie –: ⌜Wenn das Weberschifflein von selber webte und der Zitherschlegel von selber spielte, dann brauchten allerdings die Meister keine Gesellen und die Herren keine Knechte.⌝ Und so weit sind sie jetzt, denken sie. Dieser schlechte Mensch weiß, was er tut, wenn er seine astronomischen Arbeiten statt in Latein im Idiom* der Fischweiber und Wollhändler verfaßt.

Sprechweise

DER PAPST Das zeigt sehr schlechten Geschmack; das werde ich ihm sagen.

DER INQUISITOR Er verhetzt die einen und besticht die andern. Die oberitalienischen Seestädte fordern immer dringender für ihre Schiffe die Sternkarten des Herrn Galilei. Man wird ihnen nachgeben müssen, es sind materielle Interessen.

DER PAPST Aber diese Sternkarten beruhen auf seinen ketzerischen Behauptungen. Es handelt sich gerade um die Bewegungen dieser gewissen Gestirne, die nicht stattfinden können, wenn man seine Lehre ablehnt. Man kann nicht die Lehre verdammen und die Sternkarten nehmen.

DER INQUISITOR Warum nicht? Man kann nichts anderes.

DER PAPST Dieses Geschlurfe macht mich nervös. Entschuldigen Sie, wenn ich immer horche.

DER INQUISITOR Es wird Ihnen vielleicht mehr sagen, als ich es kann, Eure Heiligkeit. Sollen diese alle von hier weggehen, den Zweifel im Herzen?

DER PAPST Schließlich ist der Mann der größte Physiker dieser Zeit, das Licht Italiens, und nicht irgendein Wirrkopf. Er hat Freunde. Da ist ⌜Versailles. Da ist der Wiener Hof⌝. Sie werden die Heilige Kirche eine Senkgrube verfaulter Vorurteile nennen. Hand weg von ihm!

DER INQUISITOR Man wird praktisch bei ihm nicht weit gehen müssen. Er ist ein Mann des Fleisches. Er würde sofort nachgeben.

DER PAPST Er kennt mehr Genüsse als irgendein Mann, den ich getroffen habe. Er denkt aus Sinnlichkeit. Zu einem alten Wein oder einem neuen Gedanken könnte er nicht nein sagen. Und ich will keine Verurteilung physikalischer Fakten, keine Schlachtrufe wie »Hie Kirche! und Hie Vernunft!« Ich habe ihm ⌜sein Buch erlaubt⌝, wenn es am Schluß die Meinung wiedergäbe, daß das letzte Wort nicht die Wissenschaft, sondern der Glaube hat. Er hat sich daran gehalten.

DER INQUISITOR Aber wie? ⌜In seinem Buch streiten⌝ ein dummer Mensch, der natürlich die Ansichten des Aristoteles vertritt, und ein kluger Mensch, der ebenso natürlich die des Herrn Galilei vertritt, und die ⌜Schlußbemerkung⌝, Eure Heiligkeit, spricht wer?

DER PAPST Was ist das jetzt wieder? Wer äußert also unsere?

DER INQUISITOR Nicht der Kluge.

DER PAPST Das ist allerdings eine Unverschämtheit. Dieses Getrampel in den Korridoren ist unerträglich. Kommt denn die ganze Welt?

DER INQUISITOR Nicht die ganze, aber ihr bester Teil.

*Pause. Der Papst ist jetzt in vollem Ornat**.

Feierliche Amtstracht der kirchlichen Funktionsträger

DER PAPST Das Alleräußerste ist, daß man ihm ⌜die Instrumente zeigt⌝.

DER INQUISITOR Das wird genügen, Eure Heiligkeit. Herr Galilei versteht sich auf Instrumente.

13
Galileo Galilei widerruft vor der Inquisition am ⌜22. Juni 1633⌝ seine Lehre von der Bewegung der Erde

Und es war ein Junitag, der schnell verstrich
5 Und der war wichtig für dich und mich.
Aus Finsternis trat die Vernunft herfür
Ein' ganzen Tag stand sie vor der Tür.

Im Palast des Florentinischen Gesandten in Rom. Galileis Schüler warten auf Nachrichten. Der kleine Mönch und 10 *Federzoni spielen mit weiten Bewegungen das neue Schach. In einer Ecke kniet Virginia und betet den Englischen Gruß.*

DER KLEINE MÖNCH Der Papst hat ihn nicht empfangen. Keine wissenschaftlichen Diskussionen mehr.

15 FEDERZONI Er war seine letzte Hoffnung. Es war wahr, was er ihm damals vor Jahren in Rom sagte, als er noch der Kardinal Barberini war: wir brauchen dich. Jetzt haben sie ihn.

ANDREA Sie werden ihn umbringen. Die »Discorsi« wer- 20 den nicht zu Ende geschrieben.

FEDERZONI *sieht ihn verstohlen an:* Meinst du?

ANDREA Da er niemals widerruft.

Pause.

DER KLEINE MÖNCH Man verbeißt sich immer in einen 25 ganz nebensächlichen Gedanken, wenn man nachts wach liegt. Heute nacht zum Beispiel dachte ich immerfort: er hätte nie aus der Republik weggehen dürfen.

ANDREA Da konnte er sein Buch nicht schreiben.

FEDERZONI Und in Florenz konnte er es ⌜nicht veröffentli- 30 chen⌝.

Pause.

DER KLEINE MÖNCH Ich dachte auch, ob sie ihm wohl seinen kleinen Stein lassen, den er immer in der Tasche mit sich herumträgt. Seinen Beweisstein.

FEDERZONI Dahin, wo sie ihn hinführen, geht man ohne Taschen. 5

ANDREA *aufschreiend:* Das werden sie nicht wagen! Und selbst wenn sie es ihm antun, wird er nicht widerrufen. »Wer die Wahrheit nicht weiß, der ist bloß ein Dummkopf. Aber wer sie weiß und sie eine Lüge nennt, der ist ein Verbrecher.« 10

FEDERZONI Ich glaube es auch nicht, und ich möchte nicht mehr leben, wenn er es täte, aber sie haben die Gewalt.

ANDREA Man kann nicht alles mit Gewalt.

FEDERZONI Vielleicht nicht.

DER KLEINE MÖNCH *leise:* Er ist ⌜23 Tage im Kerker gesessen⌝. Gestern war ⌜das große Verhör⌝. Und heute ist die Sitzung. *Da Andrea herhört, laut.* Als ich ihn damals, zwei Tage nach dem Dekret, hier besuchte, saßen wir dort drüben, und er zeigte mir den kleinen Priapgott bei der Sonnenuhr, im Garten, ihr könnt ihn sehen von hier, und er verglich sein Werk mit einem Gedicht des Horaz, in dem man auch nichts ändern kann. Er sprach von seinem Schönheitssinn, der ihn zwinge, die Wahrheit zu suchen. Und er erwähnte das Motto: hieme et aestate, et prope et procul, usque dum vivam et ultra*. Und er meinte die Wahrheit.

Im Winter und im Sommer, nah' und fern, solange ich lebe und darüber hinaus

ANDREA *zu dem kleinen Mönch:* Hast du ihm erzählt, wie er im Collegium Romanum stand, während sie sein Rohr prüften? Erzähl es! *Der kleine Mönch schüttelt den Kopf.* Er benahm sich ganz wie gewöhnlich. Er hatte seine Hände auf seinen Schinken, streckte den Bauch heraus und sagte: Ich bitte um Vernunft, meine Herren! *Er macht lachend Galilei nach.*

Pause.

ANDREA *über Virginia:* Sie betet, daß er widerrufen möge. 35

FEDERZONI Laß sie. Sie ist ganz verwirrt, seit sie mit ihr gesprochen haben. Sie haben ihren Beichtvater von Florenz hierherkommen lassen.

Das Individuum aus dem Palast des Großherzogs von 5 *Florenz tritt ein.*

INDIVIDUUM Herr Galilei wird bald hier sein. Er mag ein Bett benötigen.

FEDERZONI Man hat ihn entlassen?

INDIVIDUUM Man erwartet, daß Herr Galilei um fünf Uhr 10 in einer Sitzung der Inquisition widerrufen wird. Die große Glocke von Sankt Markus* wird geläutet und der Wortlaut des Widerrufs öffentlich ausgerufen werden.

Röm. Kirche San Marco

ANDREA Ich glaube es nicht.

INDIVIDUUM Wegen der Menschenansammlungen in den 15 Gassen wird Herr Galilei an das Gartentor hier hinter dem Palast gebracht werden. *Ab.*

ANDREA *plötzlich laut:* Der Mond ist eine Erde und hat kein eigenes Licht. Und so hat die Venus kein eigenes Licht und ist wie die Erde und läuft um die Sonne. Und 20 es drehen sich vier Monde um das Gestirn Jupiter, das sich in der Höhe der Fixsterne befindet und an keiner Schale befestigt ist. ⌜Und die Sonne ist das Zentrum der Welt und unbeweglich an ihrem Ort, und die Erde ist nicht Zentrum und nicht unbeweglich.⌝ Und er ist es, der 25 es uns gezeigt hat.

DER KLEINE MÖNCH Und mit Gewalt ⌜kann man nicht ungesehen machen⌝, was gesehen wurde.

Schweigen.

FEDERZONI *blickt auf die Sonnenuhr im Garten:* Fünf 30 Uhr.

Virginia betet lauter.

ANDREA Ich kann nicht mehr warten, ihr! Sie köpfen die Wahrheit!

Er hält sich die Ohren zu, der kleine Mönch ebenfalls. 35 *Aber die Glocke wird nicht geläutet. Nach einer Pause, ausgefüllt durch das murmelnde Beten Virginias, schüttelt Federzoni verneinend den Kopf. Die anderen lassen die Hände sinken.*

FEDERZONI *heiser:* Nichts. Es ist drei Minuten über fünf.

ANDREA Er widersteht.

DER KLEINE MÖNCH Er widerruft nicht!

FEDERZONI Nein. Oh, wir Glücklichen!

Sie umarmen sich. Sie sind überglücklich.

ANDREA Also: es geht nicht mit Gewalt! Sie kann nicht alles! Also: die Torheit wird besiegt, sie ist nicht unverletzlich! Also: der Mensch fürchtet den Tod nicht!

FEDERZONI Jetzt beginnt wirklich die Zeit des Wissens. Das ist ihre Geburtsstunde. Bedenkt, wenn er widerrufen hätte!

DER KLEINE MÖNCH Ich sagte es nicht, aber ich war voll Sorge. ⌜Ich Kleingläubiger!⌝

ANDREA Ich aber wußte es.

FEDERZONI Als ob es am Morgen wieder Nacht würde, wäre es gewesen.

ANDREA Als ob der Berg gesagt hätte: ich bin ein Wasser.

DER KLEINE MÖNCH *kniet nieder, weinend:* Herr, ich danke dir!

ANDREA Aber es ist alles verändert heute! Der Mensch hebt den Kopf, der Gepeinigte, und sagt: ich kann leben. So viel ist gewonnen, wenn nur einer aufsteht und Nein sagt!

In diesem Augenblick beginnt die Glocke von Sankt Markus zu dröhnen. Alles steht erstarrt.

VIRGINIA *steht auf:* Die Glocke von Sankt Markus! Er ist nicht verdammt!

Von der Straße herauf hört man den Ansager den Widerruf Galileis verlesen.

STIMME DES ANSAGERS ⌜»Ich, Galileo Galilei, Lehrer der Mathematik und der Physik in Florenz, schwöre ab, was ich gelehrt habe, daß die Sonne das Zentrum der Welt ist und an ihrem Ort unbeweglich, und die Erde ist nicht Zentrum und nicht unbeweglich. Ich schwöre ab, verwünsche und verfluche mit redlichem Herzen und nicht erheucheltem Glauben alle diese Irrtümer und Ketzereien sowie überhaupt jeden anderen Irrtum und jede andere Meinung, welche der Heiligen Kirche entgegen ist.«

Es wird dunkel.

Wenn es wieder hell wird, dröhnt die Glocke noch, hört dann aber auf. Virginia ist hinausgegangen. Galileis Schüler sind noch da.

FEDERZONI Er hat dich nie für deine Arbeit richtig bezahlt. Du hast weder eine Hose kaufen noch selber publizieren können. Das hast du gelitten, weil »für die Wissenschaft gearbeitet wurde«!

ANDREA *laut:* Unglücklich das Land, das keine Helden hat!

Eingetreten ist Galilei, völlig, beinahe bis zur Unkenntlichkeit verändert durch den Prozeß. Er hat den Satz Andreas gehört. Einige Augenblicke wartet er an der Tür auf eine Begrüßung. Da keine erfolgt, denn die Schüler weichen vor ihm zurück, geht er, langsam und seines schlechten Augenlichts wegen unsicher, nach vorn, wo er einen Schemel findet und sich niedersetzt.

ANDREA Ich kann ihn nicht ansehen. Er soll weg.

FEDERZONI Beruhige dich.

ANDREA *schreit Galilei an:* Weinschlauch! Schneckenfresser! Hast du deine geliebte Haut gerettet? *Setzt sich.* Mir ist schlecht.

GALILEI *ruhig:* Gebt ihm ein Glas Wasser!

Der kleine Mönch holt Andrea von draußen ein Glas Wasser. Die andern beschäftigen sich nicht mit Galilei, der horchend auf seinem Schemel sitzt. Von weitem hört man wieder die Stimme des Ansagers.

ANDREA Ich kann schon wieder gehen, wenn ihr mir ein wenig helft.

Sie führen ihn zur Tür. In diesem Augenblick beginnt Galilei zu sprechen.

GALILEI Nein. Unglücklich das Land, das Helden nötig hat.

Verlesung vor dem Vorhang: 5

⌜Ist es nicht klar, daß ein Pferd, welches drei oder vier Ellen* hoch herabfällt, sich die Beine brechen kann, während ein Hund keinen Schaden erlitte, desgleichen eine Katze selbst von acht oder zehn Ellen Höhe, ja eine Grille von einer Turmspitze und eine Ameise, wenn sie vom 10 Mond herabfiele? Und wie kleinere Tiere verhältnismäßig kräftiger und stärker sind als die großen, so halten sich die kleinen Pflanzen besser: eine zweihundert Ellen hohe Eiche könnte ihre Äste in voller Proportion mit einer kleinen Eiche nicht halten, und die Natur kann 15 ein Pferd nicht so groß wie zwanzig Pferde werden lassen noch einen Riesen von zehnfacher Größe, außer durch Veränderungen der Proportionen aller Glieder, besonders der Knochen, die weit über das Maß einer proportionellen Größe verstärkt werden müssen. – Die 20 gemeine Annahme, daß große und kleine Maschinen gleich ausdauernd seien, ist offenbar irrig.⌝

Galilei, »Discorsi«

* Alte Längeneinheit, entspricht etwa der Länge des Unterarms

14

1633–1642. Galileo Galilei lebt in einem Landhaus in der Nähe von Florenz, bis zu seinem Tod ein Gefangener der Inquisition. Die »Discorsi«.

Sechzehnhundertdreiunddreißig bis sechzehnhundert-zweiundvierzig
Galileo Galilei ist ein Gefangener der Kirche bis zu seinem Tode.

Ein großer Raum mit Tisch, Lederstuhl und Globus. Galilei, nun alt und halbblind, experimentiert sorgfältig mit einem kleinen Holzball auf einer gekrümmten Holzschiene, im Vorraum sitzt ein Mönch auf Wache. Es wird ans Tor geklopft. Der Mönch öffnet, und ein Bauer tritt ein, zwei gerupfte Gänse tragend. Virginia kommt aus der Küche. Sie ist jetzt etwa 40 Jahre alt.

DER BAUER Ich soll die abgeben.
VIRGINIA Von wem? Ich habe keine Gänse bestellt.
DER BAUER Ich soll sagen: von jemand auf der ⌜Durchreise⌝. *Ab.*
Virginia betrachtet die Gänse erstaunt. Der Mönch nimmt sie ihr aus der Hand und untersucht sie mißtrauisch. Dann gibt er sie ihr beruhigt zurück, und sie trägt sie an den Hälsen zu Galilei in den großen Raum.
VIRGINIA Jemand auf der Durchreise hat ein Geschenk abgeben lassen.
GALILEI Was ist es?
VIRGINIA Kannst du es nicht sehen?
GALILEI Nein. *Er geht hin.* Gänse. Ist ein Name dabei?
VIRGINIA Nein.
GALILEI *nimmt ihr eine Gans aus der Hand:* Schwer. Ich könnte noch etwas davon essen.

VIRGINIA Du kannst doch nicht schon wieder hungrig sein. Du hast eben zu Abend gegessen. Und was ist wieder mit deinen Augen los? Die müßtest du sehen vom Tisch aus.

GALILEI Du stehst im Schatten.

VIRGINIA Ich stehe nicht im Schatten. *Sie trägt die Gänse hinaus.*

GALILEI Gib Thymian zu und Äpfel.

VIRGINIA *zu dem Mönch:* Wir müssen nach dem Augendoktor schicken. Vater konnte die Gänse vom Tisch aus nicht sehen.

DER MÖNCH Ich brauche erst die Erlaubnis vom Monsignore Carpula. – Hat er wieder selber geschrieben?

VIRGINIA Nein. Er hat sein Buch mir diktiert, das wissen Sie ja. Sie haben die Seiten 131 und 132, und das waren die letzten.

DER MÖNCH Er ist ein ⌜alter Fuchs⌝.

VIRGINIA Er tut nichts gegen die Vorschriften. Seine Reue ist echt. Ich passe auf ihn auf. *Sie gibt ihm die Gänse.* Sagen Sie in der Küche, sie sollen die Leber rösten, mit einem Apfel und einer Zwiebel. *Sie geht in den großen Raum zurück.* Und jetzt denken wir an unsere Augen und hören schnell auf mit dem Ball und diktieren ein Stückchen weiter an unserem wöchentlichen Brief an den Erzbischof.

GALILEI Ich fühle mich nicht wohl genug. Lies mir etwas Horaz.

VIRGINIA Erst vorige Woche sagte mir Monsignore Carpula, dem wir so viel verdanken – erst neulich wieder das Gemüse –, daß der Erzbischof ihn jedesmal fragt, wie dir die Fragen und Zitate gefallen, die er dir schickt. *Sie hat sich zum Diktat niedergesetzt.*

GALILEI Wie weit war ich?

VIRGINIA Abschnitt vier: Anlangend die Stellungnahme der Heiligen Kirche zu den Unruhen im Arsenal von Venedig stimme ich überein mit der Haltung Kardinal Spolettis gegenüber den aufrührerischen Seilern ...

GALILEI Ja. *Diktiert:* ... stimme ich überein mit der Haltung Kardinal Spolettis gegenüber den aufrührerischen Seilern, nämlich, daß es besser ist, an sie Suppen zu verteilen im Namen der christlichen Nächstenliebe, als ihnen mehr für ihre Schiffs- und Glockenseile zu zahlen. Sintemalen* es weiser erscheint, an Stelle ihrer Habgier ihren Glauben zu stärken. Der Apostel Paulus sagt: ⌜Wohltätigkeit versaget niemals.⌝ – Wie ist das?

Da

VIRGINIA Es ist wunderbar, Vater.

GALILEI Du meinst nicht, daß eine Ironie hineingelesen werden könnte?

VIRGINIA Nein, der Erzbischof wird selig sein. Er ist so praktisch.

GALILEI Ich verlasse mich auf dein Urteil. Was kommt als nächstes?

VIRGINIA Ein wunderschöner Spruch: ⌜»Wenn ich schwach bin, da bin ich stark.«⌝

GALILEI Keine Auslegung.

VIRGINIA Aber warum nicht?

GALILEI Was kommt als nächstes?

VIRGINIA »Auf daß ihr begreifen möget, daß Christus liebhaben viel besser ist denn alles Wissen.« ⌜Paulus an die Epheser III, 19.⌝

GALILEI Besonders danke ich Eurer Eminenz für das herrliche Zitat aus den Epheser-Briefen. Angeregt dadurch, fand ich in unserer ⌜unnachahmbaren Imitatio⌝ noch folgendes. *Zitiert auswendig:* »Er, zu dem das ewige Wort spricht, ist frei von vielem Gefrage.« Darf ich bei dieser Gelegenheit in eigener Sache sprechen? Noch immer wird mir vorgeworfen, daß ich einmal über die Himmelskörper ein Buch in der Sprache des Marktes verfaßt habe. Es war damit nicht meine Absicht, vorzuschlagen oder gutzuheißen, daß Bücher über so viel wichtigere

Sondersprache einer Berufsgruppe oder Gesellschaftsschicht

Gegenstände, wie zum Beispiel Theologie, in dem Jargon* der Teigwarenverkäufer verfaßt würden. Das Argument für den lateinischen Gottesdienst, daß durch die Universalität der Sprache alle Völker die heilige Messe in gleicher Weise hören, scheint mir wenig glücklich, da von den niemals verlegenen Spöttern eingewendet werden könnte, keines der Völker verstünde so den Text. Ich verzichte gern auf billige Verständlichkeit heiliger Dinge. Das Latein der Kanzel, das die ewige Wahrheit der Kirche gegen die Neugier der Unwissenden schützt, erweckt Vertrauen, wenn gesprochen von den priesterlichen Söhnen der unteren Klassen mit den Betonungen des ortsansässigen Dialekts. – Nein, streich das aus.

VIRGINIA Das Ganze?

GALILEI Alles nach den Teigwarenverkäufern.

Es wird am Tor geklopft. Virginia geht in den Vorraum. Der Mönch öffnet. Es ist Andrea Sarti. Er ist jetzt ein Mann in den mittleren Jahren.

ANDREA Guten Abend. Ich bin im Begriff, Italien zu verlassen, um in Holland wissenschaftlich zu arbeiten, und bin gebeten worden, ihn auf der Durchreise aufzusuchen, damit ich über ihn berichten kann.

VIRGINIA Ich weiß nicht, ob er dich sehen will. Du bist nie gekommen.

ANDREA Frag ihn.

Galilei hat die Stimme erkannt. Er sitzt unbeweglich. Virginia geht hinein zu ihm.

GALILEI Ist es Andrea?

VIRGINIA Ja. Soll ich ihn wegschicken?

GALILEI *nach einer Pause:* Führ ihn herein.

Virginia führt Andrea herein.

VIRGINIA *zum Mönch:* Er ist harmlos. Er war sein Schüler. So ist er jetzt sein Feind.

GALILEI Laß mich allein mit ihm, Virginia.

VIRGINIA Ich will hören, was er erzählt. *Sie setzt sich.*

ANDREA *kühl:* Wie geht es Ihnen?

GALILEI Tritt näher. Was machst du? Erzähl von deiner Arbeit. Ich höre, es ist über Hydraulik*.

Lehre von der Bewegung der Flüssigkeiten, deren Erkenntnisse v. a. im Grund- und Wasserbau Verwendung finden

ANDREA Fabrizius in Amsterdam hat mir aufgetragen, mich nach Ihrem Befinden zu erkundigen.

Pause.

GALILEI Ich befinde mich wohl. Man schenkt mir große Aufmerksamkeit.

ANDREA Es freut mich, berichten zu können, daß Sie sich wohl befinden.

GALILEI Fabrizius wird erfreut sein, es zu hören. Und du kannst ihn informieren, daß ich in angemessenem Komfort lebe. Durch die Tiefe meiner Reue habe ich mir die Gunst meiner Oberen so weit erhalten können, daß mir in bescheidenem Umfang wissenschaftliche Studien unter geistlicher Kontrolle gestattet werden konnten.

ANDREA Jawohl. Auch wir hörten, daß die Kirche mit Ihnen zufrieden ist. Ihre völlige Unterwerfung hat gewirkt. Es wird versichert, die Oberen hätten mit Genugtuung festgestellt, daß in Italien kein Werk mit neuen Behauptungen mehr veröffentlicht wurde, seit Sie sich unterwarfen.

GALILEI *horchend:* Leider gibt es Länder, die sich der Obhut der Kirche entziehen. Ich fürchte, daß die verurteilten Lehren dort weitergefördert werden.

ANDREA Auch dort trat infolge Ihres Widerrufs ein für die Kirche erfreulicher Rückschlag ein.

GALILEI Wirklich? *Pause.* Nichts von ⌜Descartes⌝? Nichts aus Paris?

ANDREA Doch. Auf die Nachricht von Ihrem Widerruf stopfte er seinen Traktat über die Natur des Lichts in die Lade.

Lange Pause.

GALILEI Ich bin in Sorge einiger wissenschaftlicher Freunde wegen, die ich auf die Bahn des Irrtums geleitet habe. Sind sie durch meinen Widerruf belehrt worden?

ANDREA Um wissenschaftlich arbeiten zu können, habe ich vor, nach Holland zu gehen. ⌜Man gestattet nicht dem Ochsen, was Jupiter sich nicht gestattet.⌝

GALILEI Ich verstehe.

ANDREA Federzoni schleift wieder Linsen, in irgendeinem Mailänder Laden. 5

GALILEI *lacht:* Er kann nicht Latein.

Pause.

ANDREA Fulganzio, unser kleiner Mönch, hat die Forschung aufgegeben und ist in den Schoß der Kirche zurückgekehrt. 10

GALILEI Ja.

Pause.

GALILEI Meine Oberen sehen m e i n e r seelischen Wiedergesundung entgegen. Ich mache bessere Fortschritte, als zu erwarten war. 15

ANDREA So.

VIRGINIA Der Herr sei gelobt.

GALILEI *barsch:* Sieh nach den Gänsen, Virginia.

Virginia geht zornig hinaus. Im Vorbeigehen wird sie vom Mönch angesprochen. 20

DER MÖNCH Der Mensch mißfällt mir.

VIRGINIA Er ist harmlos. Sie hören doch. *Im Weggehen.* Wir haben frischen Ziegenkäse bekommen.

Der Mönch folgt ihr hinaus. 25

ANDREA Ich werde die Nacht durch fahren, um die Grenze morgen früh überschreiten zu können. Kann ich gehen?

GALILEI Ich weiß nicht, warum du gekommen bist, Sarti. Um mich aufzustören? Ich lebe vorsichtig und ich denke vorsichtig, seit ich hier bin. Ich habe ohnedies meine Rückfälle. 30

ANDREA Ich möchte Sie lieber nicht aufregen, Herr Galilei.

GALILEI Barberini nannte es die Krätze. Er war selber nicht gänzlich frei davon. Ich habe wieder geschrieben.

ANDREA So? 35

GALILEI Ich schrieb die »Discorsi« fertig.

ANDREA Was? Die »Gespräche, betreffend zwei neue Wissenszweige: Mechanik und Fallgesetze«? Hier?

GALILEI Oh, man gibt mir Papier und Feder. Meine Oberen sind keine Dummköpfe. Sie wissen, daß eingewurzelte Laster nicht von heute auf morgen abgebrochen werden können. Sie schützen mich vor mißlichen Folgen, indem sie Seite für Seite wegschließen.

ANDREA O Gott!

GALILEI Sagtest du etwas?

ANDREA Man läßt Sie Wasser pflügen! Man gibt Ihnen Papier und Feder, damit Sie sich beruhigen! Wie konnten Sie überhaupt schreiben mit diesem Ziel vor Augen?

GALILEI Oh, ich bin ein Sklave meiner Gewohnheiten.

ANDREA Die »Discorsi« in der Hand der Mönche! Und Amsterdam und London und Prag hungern danach!

GALILEI Ich kann Fabrizius jammern hören, ⌜pochend auf sein Pfund Fleisch⌝, selber in Sicherheit sitzend in Amsterdam.

ANDREA Zwei neue Wissenszweige so gut wie verloren!

GALILEI Es wird ihn und einige andre ohne Zweifel erheben zu hören, daß ich die letzten kümmerlichen Reste meiner Bequemlichkeit aufs Spiel gesetzt habe, eine Abschrift zu machen, hinter meinem Rücken sozusagen, aufbrauchend die letzte Unze* Licht der helleren Nächte von sechs Monaten.

Antike Maß-, Gewichts- und Münzeinheit

ANDREA Sie haben eine Abschrift?

GALILEI Meine Eitelkeit hat mich bisher davon zurückgehalten, sie zu vernichten.

ANDREA Wo ist sie?

GALILEI ⌜»Wenn dich dein Auge ärgert, reiß es aus.«⌝ Wer immer das schrieb, wußte mehr über Komfort als ich. Ich nehme an, es ist die Höhe der Torheit, sie auszuhändigen. Da ich es nicht fertiggebracht habe, mich von wissenschaftlichen Arbeiten fernzuhalten, könnt ihr sie ebensogut haben. Die Abschrift liegt im Globus. Solltest du erwägen, sie nach Holland mitzunehmen, würdest du natürlich die gesamte Verantwortung zu schultern haben. Du hättest sie in diesem Fall von jemandem gekauft, der Zutritt zum Original im Heiligen Offizium hat. 5

Andrea ist zum Globus gegangen. Er holt die Abschrift heraus.

ANDREA Die »Discorsi«!

Er blättert in dem Manuskript. 10

ANDREA *liest:* ⌜»Mein Vorsatz ist es, eine sehr neue Wissenschaft aufzustellen, handelnd von einem sehr alten Gegenstand, der Bewegung. Ich habe durch Experimente einige ihrer Eigenschaften entdeckt, die wissenswert sind.«⌝ 15

GALILEI Etwas mußte ich anfangen mit meiner Zeit.

ANDREA Das wird eine neue Physik begründen.

GALILEI Stopf es untern Rock.

ANDREA Und wir dachten, Sie wären übergelaufen! Meine Stimme war die lauteste gegen Sie! 20

GALILEI Das gehörte sich. Ich lehrte dich Wissenschaft, und ich verneinte die Wahrheit.

ANDREA Dies ändert alles. Alles.

GALILEI Ja?

ANDREA Sie versteckten die Wahrheit. Vor dem Feind. 25 Auch auf dem Felde der Ethik waren Sie uns um Jahrhunderte voraus.

GALILEI Erläutere das, Andrea.

ANDREA Mit dem Mann auf der Straße sagten wir: Er wird sterben, aber er wird nie widerrufen. – Sie kamen zu- 30 rück: Ich habe widerrufen, aber ich werde leben. – Ihre Hände sind befleckt, sagten wir. – Sie sagen: Besser befleckt als leer.

GALILEI Besser befleckt als leer. Klingt realistisch. Klingt nach mir. ⌜Neue Wissenschaft, neue Ethik.⌝ 35

ANDREA Ich vor allen andern hätte es wissen müssen! Ich war elf, als Sie eines andern Mannes Fernrohr an den Senat von Venedig verkauften. Und ich sah Sie von diesem Instrument unsterblichen Gebrauch machen. Ihre
5 Freunde schüttelten die Köpfe, als Sie sich vor dem Kind in Florenz beugten: die Wissenschaft gewann Publikum. Sie lachten immer schon über die Helden. »Leute, welche leiden, langweilen mich«, sagten Sie. »Unglück stammt von mangelhaften Berechnungen.« Und: »An-
10 gesichts von Hindernissen mag die kürzeste Linie zwischen zwei Punkten die krumme sein.«

GALILEI Ich entsinne mich.

ANDREA Als es Ihnen dann 33 gefiel, einen volkstümlichen Punkt Ihrer Lehren zu widerrufen, hätte ich wissen müs-
15 sen, daß Sie sich lediglich aus einer hoffnungslosen politischen Schlägerei zurückzogen, um das eigentliche Geschäft der Wissenschaft weiter zu betreiben.

GALILEI Welches besteht in ...

ANDREA ... dem Studium der Eigenschaften der Bewe-
20 gung, Mutter der Maschinen, die allein die Erde so bewohnbar machen werden, daß der Himmel abgetragen werden kann.

GALILEI Aha.

ANDREA Sie gewannen die Muße, ein wissenschaftliches
25 Werk zu schreiben, das nur Sie schreiben konnten. Hätten Sie in einer Gloriole* von Feuer auf dem Scheiterhaufen geendet, wären die andern die Sieger gewesen.

GALILEI Sie sind die Sieger. Und es gibt kein wissenschaftliches Werk, das nur ein Mann schreiben kann.

30 ANDREA Warum dann haben Sie widerrufen?

GALILEI Ich habe widerrufen, weil ich den körperlichen Schmerz fürchtete.

ANDREA Nein!

GALILEI Man zeigte mir die Instrumente.

35 ANDREA So war es kein Plan?

* Gloriole: Heiligenschein

GALILEI Es war keiner.
Pause.
ANDREA *laut:* Die Wissenschaft kennt nur ein Gebot: den wissenschaftlichen Beitrag.
GALILEI Und den habe ich geliefert. Willkommen in der Gosse, Bruder in der Wissenschaft und Vetter im Verrat! Ißt du Fisch? Ich habe Fisch. Was stinkt, ist nicht mein Fisch, sondern ich. Ich verkaufe aus, du bist ein Käufer. O unwiderstehlicher Anblick des Buches, der geheiligten Ware! Das Wasser läuft im Mund zusammen und die Flüche ersaufen. ⌜Die Große Babylonische⌝, das mörderische Vieh, die Scharlachene, öffnet die Schenkel, und alles ist anders! Geheiliget sei unsre schachernde, weißwaschende, todfürchtende Gemeinschaft!
ANDREA Todesfurcht ist menschlich! Menschliche Schwächen gehen die Wissenschaft nichts an.
GALILEI Nein?! – Mein lieber Sarti, auch in meinem gegenwärtigen Zustand fühle ich mich noch fähig, Ihnen ein paar Hinweise darüber zu geben, was die Wissenschaft alles angeht, der Sie sich verschrieben haben.
Eine kleine Pause.
GALILEI *akademisch die Hände über dem Bauch gefaltet:* ⌜In meinen freien Stunden⌝, deren ich viele habe, bin ich meinen Fall durchgegangen und habe darüber nachgedacht, wie die Welt der Wissenschaft, zu der ich mich selber nicht mehr zähle, ihn zu beurteilen haben wird. Selbst ein Wollhändler muß, außer billig einkaufen und teuer verkaufen, auch noch darum besorgt sein, daß der Handel mit Wolle unbehindert vor sich gehen kann. Der Verfolg der Wissenschaft scheint mir diesbezüglich besondere Tapferkeit zu erheischen. Sie handelt mit Wissen, gewonnen durch Zweifel. Wissen verschaffend über alles für alle, trachtet sie, Zweifler zu machen aus allen. Nun wird der Großteil der Bevölkerung von ihren Fürsten, Grundbesitzern und Geistlichen in einem perl-

mutternen Dunst von Aberglauben und alten Wörtern gehalten, welcher die Machinationen* dieser Leute verdeckt. Das Elend der Vielen ist alt wie das Gebirge und wird von Kanzel und Katheder herab für unzerstörbar erklärt wie das Gebirge. Unsere neue Kunst des Zweifelns entzückte das große Publikum. Es riß uns das Teleskop aus der Hand und richtete es auf seine Peiniger. Diese selbstischen und gewalttätigen Männer, die sich die Früchte der Wissenschaft gierig zunutze gemacht haben, fühlten zugleich das kalte Auge der Wissenschaft auf ein tausendjähriges, aber künstliches Elend gerichtet, das deutlich beseitigt werden konnte, indem sie beseitigt wurden. Sie überschütteten uns mit Drohungen und Bestechungen, unwiderstehlich für schwache Seelen. Aber können wir uns der Menge verweigern und doch Wissenschaftler bleiben? Die Bewegungen der Himmelskörper sind übersichtlicher geworden; immer noch unberechenbar sind den Völkern die Bewegungen ihrer Herrscher. Der Kampf um die Meßbarkeit des Himmels ist gewonnen durch Zweifel; durch Gläubigkeit muß der Kampf der römischen Hausfrau um Milch immer aufs neue verlorengehen. Die Wissenschaft, Sarti, hat mit beiden Kämpfen zu tun. Eine Menschheit, stolpernd in diesem ⌜tausendjährigen Perlmutterdunst⌝ von Aberglauben und alten Wörtern, zu unwissend, ihre eigenen Kräfte voll zu entfalten, wird nicht fähig sein, die Kräfte der Natur zu entfalten, die ihr enthüllt. Wofür arbeitet ihr? ⌜Ich halte dafür, daß das einzige Ziel der Wissenschaft darin besteht, die Mühseligkeit der menschlichen Existenz zu erleichtern.⌝ Wenn Wissenschaftler, eingeschüchtert durch selbstsüchtige Machthaber, sich damit begnügen, Wissen um des Wissens willen aufzuhäufen, kann die Wissenschaft zum Krüppel gemacht werden, und eure neuen Maschinen mögen nur neue Drangsale bedeuten. Ihr mögt mit der Zeit alles

* Machinationen: Machenschaften

entdecken, was es zu entdecken gibt, und euer Fortschritt wird doch nur ein Fortschreiten von der Menschheit weg sein. Die Kluft zwischen euch und ihr kann eines Tages so groß werden, daß euer ⌜Jubelschrei über irgendeine neue Errungenschaft von einem universalen Entsetzensschrei⌝ beantwortet werden könnte. – Ich hatte als Wissenschaftler eine einzigartige Möglichkeit. In meiner Zeit erreichte die Astronomie die Marktplätze. Unter diesen ganz besonderen Umständen hätte die Standhaftigkeit eines Mannes große Erschütterungen hervorrufen können. Hätte ich widerstanden, hätten die Naturwissenschaftler etwas wie ⌜den hippokratischen Eid⌝ der Ärzte entwickeln können, das Gelöbnis, ihr Wissen einzig zum Wohle der Menschheit anzuwenden! Wie es nun steht, ist das Höchste, was man erhoffen kann, ein Geschlecht erfinderischer Zwerge, die für alles gemietet werden können. Ich habe zudem die Überzeugung gewonnen, Sarti, daß ich niemals in wirklicher Gefahr schwebte. Einige Jahre lang war ich ebenso stark wie die Obrigkeit. Und ich überlieferte mein Wissen den Machthabern, es zu gebrauchen, es nicht zu gebrauchen, es zu mißbrauchen, ganz, wie es ihren Zwecken diente. *Virginia ist mit einer Schüssel hereingekommen und bleibt stehen.* Ich habe meinen Beruf verraten. Ein Mensch, der das tut, was ich getan habe, kann in den Reihen der Wissenschaft nicht geduldet werden.

VIRGINIA Du bist aufgenommen in den Reihen der Gläubigen. *Sie geht weiter und stellt die Schüssel auf den Tisch.*

GALILEI Richtig. – Ich muß jetzt essen.

Andrea hält ihm die Hand hin. Galilei sieht die Hand, ohne sie zu nehmen.

GALILEI Du lehrst jetzt selber. Kannst du es dir leisten, eine Hand wie die meine zu nehmen? *Er geht zum Tisch.* Jemand, der hier durchkam, hat mir Gänse geschickt. Ich esse immer noch gern.

ANDREA So sind Sie nicht mehr der Meinung, daß ein neues Zeitalter angebrochen ist?

GALILEI Doch. – ⌈Gib acht auf dich, wenn du durch Deutschland kommst⌉, die Wahrheit unter dem Rock.

5 ANDREA *außerstande, zu gehen:* Hinsichtlich Ihrer Einschätzung des Verfassers, von dem wir sprachen, weiß ich Ihnen keine Antwort. Aber ich kann mir nicht denken, daß Ihre mörderische Analyse das letzte Wort sein wird.

10 GALILEI Besten Dank, Herr. *Er fängt an zu essen.*

VIRGINIA *Andrea hinausgeleitend:* Wir haben Besucher aus der Vergangenheit nicht gern. Sie regen ihn auf.

Andrea geht. Virginia kommt zurück.

GALILEI Hast du eine Ahnung, wer die Gänse geschickt
15 haben kann?

VIRGINIA Nicht Andrea.

GALILEI Vielleicht nicht. ⌈Wie ist die Nacht?⌉

VIRGINIA *am Fenster:* Hell.

15

1637. Galileis Buch »Discorsi« ⌜überschreitet die italienische Grenze⌝.

Liebe Leut, gedenkt des Ends
Das Wissen flüchtet über die Grenz. 5
Wir, die wissensdurstig sind
Er und ich, wir blieben dahint'.
Hütet nun ihr der Wissenschaften Licht
Nutzt es und mißbraucht es nicht
Daß es nicht, ⌜ein Feuerfall 10
Einst verzehre noch uns all
Ja, uns all⌝.

Kleine italienische Grenzstadt ⌜früh am Morgen⌝. Am Schlagbaum der Grenzwache spielen Kinder. Andrea wartet neben einem Kutscher die Prüfung seiner Papiere durch 15 *die Grenzwächter ab. Er sitzt auf einer kleinen Kiste und liest in Galileis Manuskript. Jenseits des Schlagbaumes steht die Reisekutsche.*

DIE KINDER *singen:*
Maria saß auf einem Stein 20
Sie hatt' ein rosa Hemdelein
Das Hemdelein war verschissen.
Doch als der kalte Winter kam
Das Hemdelein sie übernahm
Verschissen ist nicht zerrissen. 25

DER GRENZWÄCHTER Warum verlassen Sie Italien?

ANDREA Ich bin Gelehrter.

DER GRENZWÄCHTER *zum Schreiber:* Schreib unter »Grund der Ausreise«: Gelehrter. Ihr Gepäck muß ich durchschauen. *Er tut es.* 30

DER ERSTE JUNGE *zu Andrea:* Hier sollten Sie nicht sitzen.

Er zeigt auf die Hütte, vor der Andrea sitzt. Da wohnt eine Hexe drin.

DER ZWEITE JUNGE Die alte Marina ist gar keine Hexe.

DER ERSTE JUNGE Soll ich dir die Hand ausrenken?

DER DRITTE JUNGE Sie ist doch eine. Sie fliegt nachts durch die Luft.

DER ERSTE JUNGE Und warum kriegt sie nirgends in der Stadt auch nur einen Topf Milch, wenn sie keine Hexe ist?

DER ZWEITE JUNGE Wie soll sie denn durch die Luft fliegen? Das kann niemand. *Zu Andrea:* Kann man das?

DER ERSTE JUNGE *über den zweiten:* Das ist Giuseppe. Er weiß rein gar nichts, weil er nicht in die Schule geht, weil er keine ganze Hose hat.

DER GRENZWÄCHTER Was ist das für ein Buch?

ANDREA *ohne aufzusehen:* Das ist von dem großen Philosophen Aristoteles.

DER GRENZWÄCHTER *mißtrauisch:* Was ist das für einer?

ANDREA Er ist schon tot.

Die Jungen gehen, um den lesenden Andrea zu verspotten, so herum, als läsen auch sie in Büchern beim Gehen.

DER GRENZWÄCHTER *zum Schreiber:* Sieh nach, ob etwas über die Religion drin steht.

DER SCHREIBER *blättert:* Ich kann nichts finden.

DER GRENZWÄCHTER Die ganze Sucherei hat ja auch wenig Zweck. So offen würde uns ja keiner hinlegen, was er zu verbergen hätte. *Zu Andrea:* Sie müssen unterschreiben, daß wir alles untersucht haben.

Andrea steht zögernd auf und geht, immerfort lesend, mit den Grenzwächtern ins Haus.

DER DRITTE JUNGE *zum Schreiber, auf die Kiste zeigend:* Da ist noch was, sehen Sie?

DER SCHREIBER War das vorhin noch nicht da?

DER DRITTE JUNGE Das hat der Teufel hier hingestellt. Es ist eine Kiste.

DER ZWEITE JUNGE Nein, die gehört dem Fremden.

DER DRITTE JUNGE Ich ginge nicht hin. Sie hat dem Kutscher Passi die Gäule verhext. Ich habe selber durch das Loch im Dach, das der Schneesturm gerissen hat, hineingeschaut und gehört, wie sie gehustet haben. 5

DER SCHREIBER *der schon beinahe an der Kiste war, zögert und kehrt zurück:* Teufelszeug, wie? Nun, wir können nicht alles kontrollieren. Wo kämen wir da hin?

Zurück kommt Andrea mit einem Krug Milch. Er setzt sich wieder auf die Kiste und liest weiter. 10

DER GRENZWÄCHTER *hinter ihm drein mit Papieren:* Mach die Kisten wieder zu. Haben wir alles?

DER SCHREIBER Alles.

DER ZWEITE JUNGE *zu Andrea:* Sie sind ja Gelehrter. Sagen Sie selber: ⌈Kann man durch die Luft fliegen?⌉ 15

ANDREA Wart einen Augenblick.

DER GRENZWÄCHTER Sie können passieren.

Das Gepäck ist vom Kutscher aufgenommen worden. Andrea nimmt die Kiste und will gehen.

DER GRENZWÄCHTER Halt! Was ist das für eine Kiste? 20

ANDREA *wieder sein Buch vornehmend:* Es sind Bücher.

DER ERSTE JUNGE Das ist die von der Hexe.

DER GRENZWÄCHTER Unsinn. Wie soll die eine Kiste bezaubern können?

DER DRITTE JUNGE Wenn ihr doch der Teufel hilft! 25

DER GRENZWÄCHTER *lacht:* Das gilt hier nicht. *Zum Schreiber:* Mach auf.

Die Kiste wird geöffnet.

DER GRENZWÄCHTER *unlustig:* Wie viele sind das?

ANDREA Vierunddreißig. 30

DER GRENZWÄCHTER *zum Schreiber:* Wie lang brauchst du damit?

DER SCHREIBER *der angefangen hat, oberflächlich in der Kiste zu wühlen:* Alles schon gedruckt. Aus Ihrem Frühstück wird dann jedenfalls nichts, und wann soll ich zum 35

Kutscher Passi hinüberlaufen, um den rückständigen Wegzoll einzukassieren bei der Auktionierung seines Hauses, wenn ich all die Bücher durchblättern soll?

DER GRENZWÄCHTER Ja, das Geld müssen wir haben. *Er stößt mit dem Fuß nach den Büchern.* Na, was kann schon viel drinstehen! *Zum Kutscher:* Ab!

Andrea geht mit dem Kutscher, der die Kiste trägt, über die Grenze. Drüben steckt er das Manuskript Galileis in die Reisetasche.

DER DRITTE JUNGE *deutet auf den Krug, den Andrea hat stehenlassen:* Da!

DER ERSTE JUNGE Und die Kiste ist weg! Seht ihr, daß es der Teufel war?

ANDREA *sich umwendend:* Nein, ich war es. Du mußt lernen, die Augen aufzumachen. Die Milch ist bezahlt und der Krug. Die Alte soll ihn haben. Ja, und ich habe dir noch nicht auf deine Frage geantwortet, Giuseppe. Auf einem Stock kann man nicht durch die Luft fliegen. Er müßte zumindest eine Maschine dran haben. Aber eine solche Maschine gibt es noch nicht. Vielleicht wird es sie nie geben, da der Mensch zu schwer ist. Aber natürlich, man kann es nicht wissen. Wir wissen bei weitem nicht genug, Giuseppe. Wir stehen wirklich erst am Beginn.

Kommentar

Daten zur Entstehungsgeschichte

A. Der Wissenschaftler Galileo Galilei und seine Zeit

1542 Neubegründung der Inquisition als Sanctum Officium.
1543 Kopernikus (*1473) stirbt in Frauenburg. Kurz vor seinem Tod veröffentlicht er sein Hauptwerk *De revolutionibus orbium coelestium libri VI* (Sechs Bücher über den Umschwung der himmlischen Kugelschalen), in dem das kopernikanische Weltsystem begründet wird.
1553 Michel Servet, Entdecker des Lungenkreislaufs, wird wegen Bekämpfung der Dreieinigkeitslehre als Gotteslästerer in Genf verbrannt.
1559 Der erste *Index librorum prohibitorum* (Verzeichnis der verbotenen Bücher) erscheint auf Anordnung Papst Pauls IV., der zweite 1564 unter Pius IV.
1564 Galileo Galilei, aus einem adligen, aber verarmten Geschlecht, wird am 15. Februar in Pisa geboren.
1571 Johannes Kepler wird in Weil der Stadt geboren.
1581 Galilei immatrikuliert sich als Medizinstudent an der Universität Pisa.
1583 Erste Beobachtungen von Pendelbewegungen sowie geometrische Studien Galileis.
1585 Nach dem vierten Studienjahr wechselt Galilei nach Florenz. Dort und in Siena wirkt er bis 1589 als Privatgelehrter.
1586 Galilei erfindet eine Waage für spezifisches Gewicht und beschreibt sie in *La Bilancetta* (Die Waage).
1588 Bewerbung um den Lehrstuhl für Mathematik an der Universität von Padua sowie um den in Pisa bzw. in Florenz. An der Accademia Fiorentina hält er zwei Vorlesungen über die *Gestalt, Lage und Größe von Dantes ›Hölle‹*.
1589 Galilei wird auf den Lehrstuhl für Mathematik an der Universität Pisa berufen. Wegen der niedrigen Entlohnung gibt er daneben Privatunterricht. Am Schiefen Turm von Pisa erforscht er die Gesetze des freien Falls und macht sie in der Schrift *Sermones de motu gravium* (Über die Bewegung) bekannt.
1592 Galilei wechselt auf den Lehrstuhl für Mathematik an die Universität Padua.

1593 Galilei verfasst den *Traktat über Befestigungen* sowie den Traktat *Le Mecaniche* (Über die Mechanik) und erfindet eine Maschine, um Wasser zu heben.
1596 Geburt René Descartes' in La Haye.
1597 Reges Interesse finden Galileis erste Konstruktionen des geometrischen und militärischen Proportionalzirkels. Beginn des Briefkontaktes mit Johannes Kepler und erstes schriftlich bezeugtes Bekenntnis zu Kopernikus. Daneben entsteht sein *Traktat über die Himmelskugel oder Kosmographie.*
1599 Beginn der Beziehung Galileis zu der Venezianerin Marina Gamba. Er nimmt den Mechaniker Marcantonio Mazzoleni zu sich und lässt ihn mathematische Instrumente herstellen. Seine Professur an der Universität Padua wird für weitere sechs Jahre bestätigt.
1600 Giordano Bruno (*1548) wird als Ketzer in Rom verbrannt. Geburt von Galileis erster Tochter Virginia; ein Jahr später wird Livia geboren.
1605 Galilei unterrichtet den Erbprinzen von Toskana, Cosimo de' Medici II., in Mathematik.
1606 Galilei konstruiert ein Thermometer. Er wird für weitere sechs Jahre in seinem Lehramt in Padua bestätigt. Als drittes Kind wird der Sohn Vincenzio geboren.
1609 Cosimo II. wird IV. Großherzog von Toskana. Neben Studien über die Bewegung von Geschossen konstruiert Galilei ein Fernrohr, dessen Wirkung er am 21. August auf dem Turm von San Marco einigen Patriziern vorführt. Der Lehrstuhl in Padua wird ihm auf Lebenszeit bestätigt.
1610 Das Jahr der Entdeckungen: Zunächst beobachtet und erforscht er die Unebenheiten der Mondoberfläche, dann entdeckt er die vier Jupitermonde, die »Dreigestalt« des Saturns sowie die Sonnenflecken und schließlich die Phasen der Venus. Daneben erscheint in Venedig die Schrift *Sidereus Nuncius* (Sternenbotschaft). Am Hof von Toskana stellt er die »Mediceischen Gestirne« vor, und der Großherzog beruft ihn zum »Ersten Mathematiker und Philosophen des Großherzogs von Toskana«.
1611 Galilei stellt fest, dass Planeten keine selbstleuchtenden Himmelskörper sind und dass sich Venus und Merkur um die Sonne drehen. Er entwickelt daraufhin die Lehre von der Ach-

sendrehung der Sonne. In Rom macht Galilei Bekanntschaft mit Kardinal Carlo Maffeo Barberini, dem späteren Papst Urban VIII., und wird Mitglied der Accademia dei Lincei (Akademie der Luchse). Kardinal Bellarmin, Rektor des Collegium Romanum, der führenden Lehr- und Forschungsanstalt der kath. Kirche in Rom und letztlich höchsten Instanz in allen Fragen der Wissenschaften, befragt die Mathematiker des Collegiums nach ihrer Meinung über die Entdeckungen Galileis.

1612 Galilei publiziert den *Diskurs über die Dinge, die sich auf dem Wasser befinden*. In Florenz beginnt der Dominikanerpater Lorini gegen Galileis Lehre von der Bewegung der Erde zu predigen.

1613 Galilei verteidigt die kopernikanische Lehre in seiner Schrift *Geschichte und Deutung der Sonnenflecken*. In einem Brief an seinen Schüler Pater Castelli stellt er fest, die Theologie habe sich zu bemühen, die Bibel in Übereinstimmung mit den festgestellten Tatsachen der Naturwissenschaften zu bringen.

1614 Der Dominikaner Caccini agitiert in Florenz gegen Galilei und die Mathematiker.

1615 Denunziation Galileis durch Lorini bei der röm. Inquisition. Zu seiner Verteidigung schreibt Galilei Briefe an Piero Dini und an die Großherzogin Christina von Toskana.

1616 Galilei veröffentlicht den Diskurs über *Ebbe und Flut* und schreibt Briefe zur Verteidigung des kopernikanischen Systems. Elf Theologen, die »Qualifikatoren des Heiligen Offiziums«, erklären zwei der Grundsätze Galileis für philosophisch absurd und ketzerisch (1. »Die Sonne ist der Mittelpunkt der Welt und darum unbeweglich.«; 2. »Die Erde ist nicht der Mittelpunkt der Welt und nicht unbeweglich, sondern sie bewegt sich täglich, auch um sich selbst.«). Galilei wird von Kardinal Roberto Bellarmin »ermahnt«. Zugleich wird Kopernikus' Hauptwerk auf den Index gesetzt. Galileis Tochter Virginia tritt ins Kloster ein. Die Schwester Livia folgt ein Jahr später.

1619 Johannes Keplers Hauptwerk *Harmonices mundi libri V* (Weltharmonik in fünf Büchern) erscheint, und René Descartes veröffentlicht seine *Analytische Geometrie*.

1620 Francis Bacon publiziert das *Novum Organum, sive Indicia vera de interpretatione naturae* (Neue Methode oder Wahre Angaben zur Erklärung der Natur) und Kopernikus' Hauptwerk wird mit einigen Korrekturen wieder zugelassen. Kardinal Barberini schickt Galilei die *Adulatio perniciosa*, die er zu seinen Ehren verfasst hat.

1621 Wahl Galileis zum Konsul der Florentiner Akademie. Cosimo II., IV. Großherzog von Toskana, stirbt.

1623 Kardinal Barberini besteigt am 6. August als Urban VIII. den Papstthron. Ihm widmet Galilei seine Schrift *Il Saggiatore* (Die Goldwaage).

1625 Galilei beginnt an seinem astronomischen Werk *Dialogo* (Dialog über die beiden hauptsächlichsten Weltsysteme, das ptolemäische und das kopernikanische) zu schreiben.

1628 Schwere Erkrankung Galileis. Zum Jahresende wird ihm ein Sitz im Rat der Zweihundert angetragen, und er erhält auf diese Weise florentinisches Bürgerrecht.

1630 Vollendung des *Dialogs*, in dem Galilei das kopernikanische Weltsystem verteidigt. Um die Druckgenehmigung zu erhalten, reist er nach Rom. Papst Urban VIII. gewährt Galilei eine Pension auf eine Domherrenpfründe in Pisa. Tod Keplers.

1632 Augenkrankheit Galileis. Publikation des *Dialogs*, die zur Anklage wegen Ungehorsams gegen einen Befehl des Heiligen Offiziums führt. Der Buchverkauf wird vom Papst verboten und Galilei vor die Inquisition geladen. Die Ärzte attestieren einen kritischen Gesundheitszustand Galileis.

1633 Vier Verhöre Galileis und 23 Tage Haft im Inquisitionspalast von Rom. Am 22. Juni schwört Galilei der kopernikanischen Lehre ab. Die Verurteilung zu lebenslanger Haft wandelt Urban VIII. in Hausarrest auf unbestimmte Zeit um; später erlaubt er den Umzug Galileis in seine Villa »Il Gioiello« in Arcetri bei Florenz.

1634 Tod der Lieblingstochter Virginia.

1635 Geheime Verhandlungen wegen Übernahme eines Lehrstuhls an der Universität in Amsterdam. Abschriften des *Dialogs* gelangen nach Deutschland, und in Straßburg erscheint eine lateinische Übersetzung.

1636 Den Generalstaaten von Holland bietet Galilei seine Entdeckung über die Bestimmung der Längengrade auf dem Meer an.

1637 Galilei erblindet auf dem rechten Auge.
1638 In Leiden erscheinen die *Dialoghi delle nuove scienze* (Dialoge über die neuen Wissenschaften) und sein physikalisches Hauptwerk *Discorsi e dimostrazioni matematiche [...]* (Unterredungen und mathematische Demonstrationen über zwei neue Wissenszweige, die Mechanik und die Fallgesetze betreffend). Galilei erblindet vollständig und erhält die Erlaubnis, sich in Florenz pflegen zu lassen.
1639 Eine Hafterleichterung für den bettlägerigen Galilei lehnt der Papst ab. In Paris erscheint eine französische Übersetzung des *Dialogs*.
1642 Galilei stirbt am 8. Januar in Arcetri. Auf Anordnung des Papstes wird er in einer Seitenkapelle der Kirche Santa Croce in Florenz beigesetzt.
1643 Isaac Newton wird in Woolsthorpe geboren.
1736 Überführung der sterblichen Überreste Galileis ins Hauptschiff von Santa Croce und Errichtung eines Grabmals.
1835 Der *Dialog* wird vom Index gestrichen.
1890 Beginn der ersten vollständigen Gesamtausgabe der Werke Galileis in Florenz, die 1909 mit insgesamt zwanzig Bänden abgeschlossen wird.
1979 Papst Johannes Paul II. kündigt in einer Rede zum 100. Geburtstag Albert Einsteins an, den Fall Galilei einer gründlichen Prüfung zu unterziehen.
1992 Papst Johannes Paul II. erklärt in einer Ansprache vor der päpstlichen Akademie, Galilei sei zu Unrecht verurteilt worden.

B. *Leben des Galilei. Schauspiel* von Bertolt Brecht

»Dänische Fassung« (1938/39)

Juni 1930 Im 1. Heft seiner Reihe *Versuche* veröffentlicht Brecht elf *Geschichten vom Herrn Keuner*, darunter auch jene mit dem Titel *Maßnahmen gegen die Gewalt*. Teile daraus integriert er später in die erste Fassung seines *Galilei* (1938/39), Szene 8.
1932/33 Plan Brechts, so berichtet Sergej Tretjakow, große Prozesse der Weltgeschichte, darunter auch den gegen Galilei, für ein »Panoptikum-Theater« zu dramatisieren.

28. 2. 1933 Brecht flieht am Tag nach dem Reichstagsbrand aus Deutschland. Den Berliner Reichstagsbrand-Prozess und seine Parallelen zum Inquisitionsprozess des 17. Jh.s verfolgt Brecht mit großem Interesse (vgl. 14,173 ff.; 14,234 ff.; 22,30; 22,885 ff.).

1934/35 Brecht schreibt über die *Fünf Schwierigkeiten beim Schreiben der Wahrheit*. Diese (auch zur Verbreitung in Deutschland bestimmte) Schrift ist Programm für Brechts literarische Arbeit:

»Wer heute die Lüge und Unwissenheit bekämpfen und die Wahrheit schreiben will, hat zumindest fünf Schwierigkeiten zu überwinden. Er muß den *Mut* haben, die Wahrheit zu schreiben, obwohl sie allenthalben unterdrückt wird; die *Klugheit*, sie zu erkennen, obwohl sie allenthalben verhüllt wird; die *Kunst*, sie handhabbar zu machen als eine Waffe; das *Urteil*, jene auszuwählen, in deren Händen sie wirksam wird; die *List*, sie unter diesen zu verbreiten. Diese Schwierigkeiten sind groß für die unter dem Faschismus Schreibenden, sie bestehen aber auch für die, welche verjagt wurden oder geflohen sind, ja sogar für solche, die in den Ländern der bürgerlichen Freiheit schreiben« (22,74).

November 1937 In der (zu dieser Zeit nicht veröffentlichten) *Rede über die Widerstandskraft der Vernunft* setzt sich Brecht mit den »überaus strengen Maßnahmen, die in den faschistischen Staaten gegenwärtig gegen die Vernunft ergriffen werden«, auseinander, sowie mit deren Konsequenzen für Wissenschaftler, insbesondere Physiker (22, 333 ff.).

1938 Im dänischen Exil (seit Dezember 1933) studiert Brecht Materialien, die ihn mit dem *Galilei*-Stoff bekannt machen:

Emil Wohlwill, *Galilei und sein Kampf für die copernikanische Lehre*, 2 Bde., Hamburg/Leipzig 1909, 1926; Henri Mineur, *Eléments de statique mathematique applicables à l'étude de l'astronomie stellaire*, Paris 1934; James Jeans, *Die Wunderwelt der Sterne*, Stuttgart/Berlin 1934; A. S. Eddington, *Das Weltbild der Physik und ein Versuch seiner philosophischen Deutung*, Braunschweig 1931; Galileo Galilei, *Unterredungen und mathematische Demonstrationen über zwei neue Wissenszweige, die Mechanik und die Fallgesetze betreffend* (»Discorsi«), 3 Bde., Leipzig 1890–1904; *Franz Bacos Neues Organon*, Berlin 1870; Schriften Montaignes und Horaz'. Weitere mögliche Quellen: Galileo Galilei, *Dialog über die beiden haupt-*

sächlichen Weltsysteme, das ptolemäische und das kopernikanische, Leipzig 1891; Karl von Gebler, *Galileo Galilei und die Römische Curie*, 2 Bde., Stuttgart 1876/77; das Schauspiel *Galileo Galilei* des Schweizers Jacob Bührer, Zürich 1933; Albert Einstein/Sigmund Freud, *Warum Krieg?*, Paris 1933; Leonardo Olschki, *Galilei und seine Zeit*, Halle 1927; Zsolt von Harsányi, *Und sie bewegt sich doch*, Leipzig 1937.

Frühjahr 1938 Brecht entwickelt erste Gliederungsskizzen, Fabel- und Szenenentwürfe und stellt unter dem Titel *Leben des Galilei* einen Szenenplan auf, der auf ein Drama im Charakter der Lehrstücke hindeutet. Thematisch steht der Kampf um Wahrheit und Vernunft sowie die Bedeutung der Wissenschaft für den gesellschaftlichen Fortschritt im Mittelpunkt, wobei er in der historischen Gegenüberstellung von Renaissance und der Situation im nationalsozialistischen Deutschland auch den antifaschistischen Widerstandskampf integriert. Daneben entsteht ein auf 14 Szenen konzipierter Stückplan mit dem Titel *Leben des Galilei (Fassung für Arbeiter)*, in dem die Biografie des Forschers in den Vordergrund tritt, d. h., das Verhältnis von Wissenschaft und Gesellschaft wird exemplarisch an einem historischen Fall gezeigt.
September 1938 Mit dem Münchner Abkommen vom 29.9. schwindet für Brecht die letzte Hoffnung auf ein baldiges Ende des NS-Regimes. In diesem Kontext sind Brechts Notizen, Anmerkungen und Vorworte zu seinem Stück zu lesen (vgl. 24, 233 ff.).
28. 10. – 4. 11. 1938 Bei Gesprächen über *Galilei* mit dem Schriftsteller Ferdinand Reyher rät dieser Brecht, ein Exposee für einen Film zu schreiben, für den er in den USA einen Produzenten suchen will. Brecht verfasst zunächst ein Drama.
23. 11. 1938 In seinem *Journal* notiert Brecht:

»*Das Leben des Galilei* abgeschlossen. Brauchte dazu drei Wochen. Die einzigen Schwierigkeiten bereitete die letzte Szene [d. h. die 14. Szene]. Ähnlich wie in der *Johanna* brauchte ich am Schluß einen Kunstgriff, um auf jeden Fall dem Zuschauer den nötigen Abstand zu sichern. Selbst der unbedenklich sich Einfühlende muß zumindest jetzt, auf dem Weg der Einfühlung selber in den Galilei, den V-Effekt [Verfremdungseffekt; Anm. d. Hg.] verspüren. Bei streng epischer

Darstellung kommt eine Einfühlung erlaubter Art zustande« (26, 326).

Der Titel lautet *Die Erde bewegt sich* und weist damit noch auf den Plan Brechts hin, v. a. das Motiv des Widerstands am Beispiel der historischen Figur Galilei aufzuzeigen.
November 1938 – März 1939 Mehrfache Umarbeitung des Stückes (zusammen mit Margarete Steffin), das nun *Leben des Galilei/Schauspiel* (BBA 418) heißt.
Dezember 1938 Den beiden deutschen Chemikern Otto Hahn und Fritz Straßmann gelingt zum ersten Mal die Spaltung eines Uran-Atoms.
4. 1. 1939 In der dänischen Zeitung *Fyns Venstreblad* erscheint ein Bericht über *Leben des Galilei*:

»In dem Stück wird von der Bedrängnis eines Wissenschaftlers unter der Inquisitionsperiode erzählt, und wenn man Brecht kennt, wird man verstehen können, daß er sicher – mit Galilei als Hauptperson – gegenwärtige Verhältnisse berühren wird.«

6. 1. 1939 Die dänische Zeitung *BT* veröffentlicht ein Interview mit Brecht, in dem er auf die Frage, ob das Stück eine aktuelle Beziehung zu Deutschland habe, sich zu einer politischen Schutzbehauptung veranlasst sieht: *Leben des Galilei* sei »eine streng historische Arbeit«, die im 17. Jahrhundert spiele, »wo es noch keinen Nazismus oder Faschismus gab«.
25. 2. 1939 Im Kontext der Arbeit an der Schrift *Der Messingkauf* (vgl. 22,695 ff.) vermerkt Brecht im *Journal*:

»*Leben des Galilei* ist technisch ein großer Rückschritt, wie *Frau Carrars Gewehre* allzu opportunistisch. Man müßte das Stück vollständig neu schreiben, wenn man diese ›Brise, die von neuen Küsten kommt‹, diese rosige Morgenröte der Wissenschaft, haben will. Alles mehr direkt, ohne die Interieurs, die ›Atmosphäre‹, die Einfühlung. Und alles auf planetarische Demonstrationen gestellt. Die Einteilung könnte bleiben, die Charakteristik des Galilei ebenfalls. Aber die Arbeit, eine lustige Arbeit, könnte nur in einem Praktikum gemacht werden, im Kontakt mit einer Bühne« (26,330).

27. 2. 1939 Im dänischen Radio hört Brecht ein Interview mit dem Physiker Niels Bohr, das er für so wichtig erachtet, dass er es zweimal in verschiedenen Kontexten zitiert (vgl. 22,523 f., 549).

4. 5. 1939 Brecht hält in Stockholm den Vortrag *Über experimentelles Theater*, in dem er die Widersprüchlichkeit des naturwissenschaftlichen Fortschritts betont:

»So kommt es, daß die großen Erfindungen und Entdeckungen nur eine immer schrecklichere Bedrohung der Menschheit geworden sind, so daß heute beinahe jede neue Erfindung nur mit einem Triumphschrei empfangen wird, der in einen Angstschrei übergeht« (22,549).

25. 9. 1940 Brecht, inzwischen lebt er im finnischen Exil, kommentiert einige Radierungen des Malers und Grafikers Hans Tombrock (1895–1966) zu *Leben des Galilei*:

»Der Galilei selber ist ziemlich falsch, da viel zu ätherisch, das, was man sich gemeinhin unter einem Sterngucker vorstellt, er müßte dick, sokratisch häßlich, auf festen Beinen stehend, ein Physiker sein« (26,429; vgl. auch Briefe, 422).

27. 12. 1941 Angesichts der amerikanischen »Unterhaltungsindustrie« erscheint Brecht, seit Juli in den USA, sein *Galilei* als Erinnerung »an ein seltsames versunkenes Theater alter Zeiten in untergegangenen Kontinenten« (27,39).
9. 9. 1943 Uraufführung des Stückes unter dem Titel *Galileo Galilei* am Schauspielhaus Zürich (Regie: Leonard Steckel).

»Amerikanische Fassung« (1944/47)
6. 4. 1944 Im *Journal* heißt es im Zusammenhang einer möglichen amerikanischen Inszenierung des Stückes:

»So prüfte ich die Moral noch einmal nach, die mich immer leise beunruhigt hat; gerade weil ich hier der Geschichte zu folgen versuchte und keine moralischen Interessen hatte, ergibt sich eine Moral, und ich bin nicht glücklich damit. Galilei kann dem Aussprechen der Wahrheit so wenig widerstehen wie dem Verschlingen eines lokkenden Gerichts, es ist ihm ein sinnlicher Genuß. Und er baut seine Persönlichkeit so leidenschaftlich und weise auf wie sein Weltbild. Eigentlich fällt er zweimal. Das erste Mal, wenn er der Lebensgefahr wegen die Wahrheit verschweigt oder widerruft, das zweite Mal, wenn er sie trotz der Lebensgefahr wieder sucht und verbreitet. Seine Produktion zerstört ihn. Nun höre ich mit Unwillen [eine Anspielung Brechts auf die Reaktionen nach der Zürcher Uraufführung; Anm. d.

Hg.], ich hätte es für richtig gehalten, daß er öffentlich widerrufen hat, um insgeheim seine Arbeit fortsetzen zu können. Das ist zu flach und zu billig. Galilei zerstörte schließlich nicht nur sich als Person, sondern auch den wertvollsten Teil seiner wissenschaftlichen Arbeit. Die Kirche (d. h. die Obrigkeit) verteidigte die Bibellehre ausschließlich, um sich, ihre Autorität, ihre Möglichkeit zu unterdrücken und auszubeuten, zu verteidigen. Das Volk interessierte sich für Galileis Gestirnlehre ausschließlich, weil es unter der Herrschaft der Kirche litt. Galilei gab den eigentlichen Fortschritt preis, als er widerrief, er ließ das Volk im Stich, die Astronomie wurde wieder ein Fach, Domäne der Gelehrten, unpolitisch, isoliert. Die Kirche trennte diese ›Probleme‹ des Himmels von denen der Erde, festigte ihre Herrschaft und erkannte danach die neuen Lösungen bereitwillig an« (27,183).

Dezember 1944 – Februar 1945 Arbeit an einer Übersetzung des *Galilei* zusammen mit dem Schauspieler Charles Laughton, den Brecht im März 1944 erstmals trifft und dem er im August das Stück in einer Übersetzung Elisabeth Hauptmanns gibt. Laughton ist fasziniert und lässt von Brainerd Duffield und Emerson Croker einen spielbaren englischen Text herstellen. Da Brecht darin keine Vorlage für die amerikanische Bühnenversion sieht, beginnt die intensive Zusammenarbeit mit Laughton auf der Grundlage der Fassung von 1938/39 (vgl. 24,239). Im *Journal* berichtet er von den Schwierigkeiten bei der Übersetzung (vgl. 27, 214f.). Wegen Filmarbeiten Laughtons wird die Arbeit im Februar 1945 für drei Monate unterbrochen. Im Oktober liegt schließlich der erste zusammenhängende englische Stücktext unter dem Titel *Galileo* vor.
30. 7. 1945 In einem Gespräch mit dem Filmkritiker Hans Winge verteidigt Brecht das Stück gegen dessen Vorwurf, es sei »ein wenig sagendes Nebenwerk«. Wenngleich auch er »im Formalen [...] dieses Stück nicht besonders kräftig« verteidigt, habe es gleichsam seine Bedeutung, denn, so berichtet Brecht:

»Wie das Stück ohne jede Absicht, etwas zu beweisen, geschrieben wurde, der überlieferten Geschichte folgend, und wie jetzt, bei der Durcharbeitung einer Theaterfassung zusammmen mit dem politisch gedankenlosen Schauspieler Laughton, außer dem Thema, daß in dieser Gesellschaftsform Wissensdurst zu einer lebensgefährlichen Eigenschaft wird, da ihn die Gesellschaft hervorbringt und bestraft, noch ein anderes erscheint, nämlich der entscheidende Unterschied zwischen dem ›reinen Fortschritt einer Wissenschaft‹ und ihrem sozial revolutionären Fortschritt (Galilei beraubt die Astronomie des jungen Bürgertums ihrer sozial revolutionären Bedeutung, macht sie zu einem ›Fach‹, sterilisiert sie.) Auch zeigt sich, zumindest als Fakt, wie die herrschende Klasse sich der Totalität ihrer Ideologie bewußt ist: Sie weiß, die Kette, mit der sie die Unterdrückten fesselt, ist nicht stärker als ihr schwächstes Glied. So ist der *Galilei* in meiner Produktion immerhin interessant als Gegenbeispiel zu den Parabeln. Dort werden Ideen verkörpert, hier eine Materie gewisser Ideen entbunden« (27,227f.).

August 1945 Wiederaufnahme der erneuten Bearbeitung des *Galilei* mit Charles Laughton. Durch die Atombombenabwürfe auf Hiroshima und Nagasaki am 6.8. und 9.8. erscheint das Stück nun in einem anderen Licht: Einige Passagen werden umgearbeitet, um Galileis negative Züge kräftiger zu entfalten (vgl. auch 24,240). Im *Journal* heißt es am 20. 9. 1945:

»Die Atombombe hat tatsächlich die Beziehungen zwischen Gesellschaft und Wissenschaft zu einem Leben-und-Tod-Problem gemacht« (27,232).

10. 10. 1945 Brecht kommentiert im *Journal* sehr genau den Anteil Laughtons an der neuen Fassung, die nicht zuletzt wegen dessen »theatralischen Instinkt« zu einer Betonung der »politischen Elemente« führt (vgl. 27,234).
1. 12. 1945 Endgültige Fertigstellung und Lesung Laughtons der neuen (»amerikanischen«) Fassung des Stücks mit dem Titel *Galileo*.
10. 12. 1945 Noch einmal betont Brecht Laughtons Einfluss auf die Veränderungen gegenüber der ersten Fassung:

»Häufig führte die aus ästhetischen Gründen vorgenommene Änderung zu einer politischen Verschärfung, und Laughton war jedesmal sehr zufrieden hiermit. Oft stritt sich Laughtons Befürchtung, das Publikum zu verletzen (meist auf religiösem Gebiet) mit seinem Wunsch, falsche Vorstellungen des Publikums zu korrigieren – für gewöhnlich siegte der letztere Wunsch« (27,237).

Ende 1945 / Anfang 1946 Eine briefliche Anfrage des Verlegers Peter Suhrkamp nach einer Verhandlungsvollmacht für Brechts Theatertexte nutzt Brecht zur klaren Distanzierung gegenüber der ersten Fassung:

»Was den *Galilei* betrifft, kann die einzige Fassung, die vorliegen kann, nämlich die in der Schweiz gespielte, unter keinen Umständen aufgeführt werden, da ich eben für Charles Laughton eine völlige Umarbeitung beendet habe, die in deutscher Sprache noch nicht vervielfältigt ist« (Briefe, 518).

7. 1. 1946 Vertrag zwischen Brecht und Laughton über das gemeinsam erarbeitete Stück *Galileo by Bertolt Brecht. English Version by Charles Laughton.*
1946 Die geplante amerikanische Aufführung kann 1946 nicht realisiert werden, da sich kein Produzent findet und Brechts Forderungen in den Verhandlungen darauf hinauslaufen, das Stück selbst zu inszenieren. Im Mai verändert Brecht mit Ferdinand Reyher nochmals die bereits erarbeitete Fassung, doch diese Änderungen nimmt er bei einer erneuten Zusammenarbeit mit Laughton wieder zurück. Im Sommer fügt Brecht die Epigramme vor den Szenen ein, die von einem Kinderchor gesungen werden sollen. Hanns Eisler komponiert dazu die Musik.
Herbst 1946 Auf eine briefliche Kritik seines Sohnes Stefan S. Brecht an der Konzeption des *Galilei* räumt Brecht einige Probleme ein, z. B. dass er »die Galileische Fortschrittlichkeit hätte mehr spezifizieren sollen«, hält jedoch daran fest, dass »G. einfach nur für die ungehinderte Ausübung seiner Wissenschaft« sei, und betont schließlich Galileis »Vitalität«, die seinen Sohn als »das ›Sympathische‹« ärgere (Briefe, 539).
30. 7. 1947 Erstaufführung von *Galileo* mit Charles Laughton in der Titelrolle am Coronet Theatre in Beverly Hills. Das Programmheft nennt Joseph Losey als Regisseur, doch inszeniert im Wesentlichen Brecht. Ruth Berlau »fotografierte und filmte alles« (Briefe, 554) und schafft damit die Grundlage für das spätere Modellbuch, in dem Brecht anhand der Fotos die Rollengestaltung Laughtons beschreibt (*Aufbau einer Rolle. Laughtons Galilei*, 25,7 ff.; vgl. auch 24,241 ff.).
17. 8. 1947 Nach insgesamt 18 Aufführungen haben etwa 4500 Personen, darunter viel Prominenz aus der Filmbranche (Charles Chaplin, Ingrid Bergman, Anthony Quinn), das Stück gesehen.
September 1947 Brecht steht mit dem Produzenten Rod Geiger in Kontakt, der eine Verfilmung des *Galileo* plant. Trotz ei-

nes bereitstehenden Regisseurs, Herbert Marshall, und eines Optionsvertrages im Jahr 1949 wird dieses Projekt nicht realisiert. Erst 1974 dreht Joseph Losey nach einem Drehbuch, das er zusammen mit Barbara Bray verfasst, den 145-minütigen Film *Galileo*.

31. 10. 1947 Brecht verlässt nach seinem Verhör vor dem Untersuchungsausschuss unamerikanischer Tätigkeit (HUAC) die USA, sodass er die im September für Dezember angekündigte New Yorker Aufführung seines Stückes nicht begleiten kann.

7. 12. 1948 Premiere der von Beverly Hills übernommenen *Galileo*-Produktion im New Yorker Maxine Elliott's Theatre. Brecht lässt sich alle Kritiken in die Schweiz schicken (vgl. Briefe, 560) und kommentiert sie im *Journal*. Dabei stellt er die historische Dimension in den Vordergrund:

»Im *Galilei* ist die Moral natürlich in keiner Weise absolut. Wäre die gesellschaftliche bürgerliche Bewegung, die sich seiner bedient, als absteigend dargestellt, könnte er ruhig widerrufen und damit etwas recht Vernünftiges besorgen. (Siehe *Jasager* und *Neinsager*!)« (27, 257).

Nachdem das Stück nach nur sechs Aufführungen abgesetzt wird, liest sich Brechts abschließender Kommentar zu den Kritiken am 15. 3. 1948 auch als Selbstverständigung darüber, was ihm das Stück in der Nachkriegssituation bedeutet:

»Die New Yorker Presse scheint am *Galileo* genau das zu vermissen, was schon Laughtons katholischer Freund vermißt hat: die mitfühlbare Agonie des Wissenschaftlers, der dem Zwang ausgesetzt wird. Nun ist zwar das schlechte Gewissen des Galilei im Stück in der gehörigen Proportion gezeigt, das ist aber der Bourgeoisie nicht annähernd genug: zur Herrschaft gekommen, wünscht sie die höheren seelischen Regungen derer, die sie zwingt, gegen ihr Gewissen zu handeln, zur Verschönerung des Gesamtbilds ihrer Welt überlebensgroß ausgestellt zu sehen« (27, 265 f.).

»Berliner Fassung« (1955/56)

Herbst 1947 Brecht schreibt an Laughton, dass er das Stück zurück ins Deutsche übersetzen werde (Briefe, 555).

7. 1. 1948 In einer Diskussion mit einem Journalisten über die »Frage, wie tief die Mißverständlichkeit« der Brechtschen Stücke in diesen selbst stecke, resümiert er: »In der Tat wurde der *Galilei* als eine Ehrenrettung des Opportunismus aufgefaßt.« Erklärbar ist dies für Brecht dadurch,

»daß der bürgerliche Darstellungsstil alles aus Altertum, asiatischem Bereich, Mittelalter und alles Antibürgerliche aus der neueren Zeit dem Bürgertum als das seine verkaufen kann. Der Stückeschreiber kann sich nur dadurch retten, daß er die Substanz aufgibt oder (und) einen Leitartikel anhängt« (27,263).

1948 Im Basler Theaterverlag Reiss erscheint als eine Variante des englischen Erstaufführungstextes ein hektografiertes Bühnenmanuskript, während der Suhrkamp Verlag ein hektografiertes Bühnenmanuskript der »dänischen Fassung« mit dem Titel *Galileo Galilei. Leben des Galilei* verlegt.

1949 Brecht veröffentlicht sein *Kleines Organon für das Theater* und beschreibt in Abschnitt 63 als Beispiel für »gestischen Gehalt« die Anfangsszenen seines *Leben des Galilei* (23,89ff.).

Frühjahr 1952 Brecht inszeniert im Studio des Berliner Ensembles den *Urfaust*. Hierbei, wie auch bei den Diskussionen über Hanns Eislers Operntext *Doktor Faustus* Ende des Jahres, zeigen sich Parallelen zu seinem *Galilei*-Stück (vgl. Schumacher 1965, 228ff.).

1953 Brecht beauftragt Elisabeth Hauptmann und Benno Besson mit der Übersetzung des *Galileo* ins Deutsche. Mit ihnen sowie Ruth Berlau überarbeitet er das Schauspiel erneut für eine geplante Drucklegung (vgl. auch die Notate: 24,248ff.).
Er selbst schreibt an seinem Stück *Turandot oder Der Kongreß der Weißwäscher* und bemerkt im Sommer dazu:

»Besonders als ich das *Leben des Galilei* geschrieben hatte, in dem ich den heraufdämmernden Morgen der Vernunft geschildert hatte, bekam ich Lust, ihren Abend zu schildern, den Abend eben jener Art von Vernunft, die gegen Ende des sechzehnten Jahrhunderts das kapitalistische Zeitalter eröffnet hatte« (24,411).

1953 Trotz weltweiter Proteste werden die angeblichen Atomspione Ethel und Julius Rosenberg unter dem Vorwurf des Landesverrats in den USA hingerichtet. Brecht verfolgt die Ereignisse mit größtem Interesse, was zahlreiche Bücher in seinem Besitz belegen (vgl. Schumacher 1965, 449f.).

1954 In den USA beginnen die Untersuchungen gegen Robert Oppenheimer, den »Vater der Atombombe«, der sich nach den Abwürfen auf Hiroshima und Nagasaki gegen eine weitere Atomrüstung ausgesprochen hat. Das Verhör vor dem Sicherheitsausschuss der Atomenergiekommission – die Anklage wirft ihm Verbindungen zu kommunistischen Kreisen vor – erregt weltweit Aufmerksamkeit. Auch Brecht lässt sich Oppenheimers Verteidigungsschrift schicken und kommentiert sie am 8.7. im *Journal*:

»Dieser unglückliche Mensch hat geholfen, die erste Atombombe zu machen, als im Hitlerkrieg die amerikanischen Physiker hörten, Hitler lasse an einer Atombombe arbeiten. Zu seinem und seiner Mitarbeiter Schrecken wurde sie dann über Japan abgeworfen. Gegen die Wasserstoffbombe hatte er moralische Bedenken, und jetzt wird er in die Wüste geschickt. Seine Schrift liest sich wie die eines Mannes, der von einem Kannibalenstamm angeklagt wird, er habe sich geweigert, Fleisch zu besorgen. Und der jetzt, sich zu entschuldigen, vorbringt, er sei während der Menschenjagd beim Holzsammeln für den Kochkessel gewesen! Was für eine Finsternis!« (27,350.)

16. 4. 1955 Erste deutsche Aufführung des Stücks unter dem Titel *Galileo Galilei* in den Kammerspielen in Köln (Regie: Friedrich Siems).

Mai 1955 Brecht beginnt – vermutlich durch Einsteins Tod am 18.4. angeregt –, »Material über *Einstein*« zu sammeln (Briefe, 744). Im Zentrum dieses geplanten Stückes sollte die Verantwortung des Wissenschaftlers im Atomzeitalter stehen, letztlich die Fortschreibung der *Galilei*-Problematik in die Gegenwart (vgl. *Leben des Einstein*, 10,984ff.).

14. 12. 1955 Brecht beginnt mit den Proben für seine Inszenierung. Grundlage dazu bildet eine für das Berliner Ensemble hergestellte Bühnenfassung (vgl. die Notate: 24,251ff.).

1955 *Leben des Galilei* erscheint in Heft 14 der *Versuche*.

24. 1. 1956 Während der Proben übersetzt Brecht die in den

USA entstandenen Strophen zwischen den Bildern für die Sängerknaben, die Friedrich Siems für die *Galilei*-Inszenierung an den Städtischen Bühnen Nürnberg erstmals verwendet (20. 5. 1956).

27. 3. 1956 Wegen Erkrankung muss Brecht die *Galilei*-Proben aufgeben.

14. 8. 1956 Bertolt Brecht stirbt in Ostberlin.

15. 1. 1957 Premiere des Schauspiels *Leben des Galilei* am Berliner Ensemble unter der Regie von Erich Engel, der nach Brechts Tod die Inszenierung übernommen hat.

1957 Postumer Druck des Stückes in zwei – nicht ganz textidentischen – Fassungen in Band 8 der *Stücke* Brechts im Frankfurter Suhrkamp Verlag und im Ostberliner Aufbau-Verlag.

Frühjahr 1959 Erste Einzelausgabe des Stückes *Leben des Galilei* mit geringen Änderungen gegenüber dem Text der *Stücke.*

1963 *Leben des Galilei* erscheint als Band 1 der neuen Reihe *edition suhrkamp.*

1988 In Band 5 der *Großen kommentierten Berliner und Frankfurter Ausgabe* der *Werke* Bertolt Brechts werden alle drei Fassungen gemeinsam abgedruckt.

Theatergeschichte

Leben des Galilei ist so oft gespielt worden, dass hier nur die wichtigsten und kontrovers diskutierten Inszenierungen berücksichtigt werden können; historisch gewordene Aufführungsdokumentationen sind mehrfach vorgelegt worden (vgl. Hecht 1963, S. 186ff.; Hecht 1981, S. 227ff.; Grimm 1987, S. 333ff.) Besondere Bedeutung innerhalb der Theatergeschichte des Stücks kommen der Zürcher Uraufführung des *Galileo Galilei* von 1943 und der Erstaufführung des *Galileo* von 1947 in Beverly Hills zu. Beide Inszenierungen betonen neben der »dramatischen« Biografie Galileis die Beziehungen des Stücks zur Zeitgeschichte: 1943 die Parallelen zwischen der Gestapo und der Inquisition, zwischen der Tätigkeit der Widerstandskämpfer und Galileis heimlicher Arbeit; vier Jahre später die Analogie zwischen Galilei und dem Verhalten der Atomwissenschaftler. Da das Stück in den 40er Jahren nicht publiziert ist, bieten die Kritiken oft umfangreiche Inhaltsangaben, und dies gilt mit Einschränkungen auch noch für die deutsche Erstaufführung des Stückes 1955 in Köln. Diese Inszenierung von Friedrich Siems sowie jene noch von Brecht 1955 am Berliner Ensemble begonnene und nach seinem Tod 1956 von Erich Engel 1957 vollendete machen auch deutlich, in welchem politischen Klima Brecht-Stücke in den 50er Jahren wahrgenommen worden sind. Das in Köln gezeigte Schauspiel gilt im Westen als Beleg dafür, dass das Stück in »Ostdeutschland [...] nicht aufführbar« sei und dort »wie ein Fanal wirken müßte« (Friedrich Luft). Brecht straft dieses Urteil Lügen, indem er ein Jahr später am Berliner Ensemble mit den Proben beginnt. Die Aufführung wird einerseits stürmisch gefeiert – »ein höchst aktuelles, meisterlich verschlungenes Dichterstück in einer Meisterinszenierung« (Friedrich Luft) –, andererseits jedoch im politischen Kontext der »Ostzone« gesehen, v. a. bezüglich Parallelen zwischen Brechts und Galileis Verhalten. Die gegensätzlichen Wahrnehmungsmuster in Ost und West lassen sich auch noch später belegen (vgl. exemplarisch die Inszenierungen am Berliner Ensemble 1971 und 1978).

So wird in den 60er Jahren – dem Jahrzehnt, in dem der *Galilei* am häufigsten gespielt und erstmals verfilmt wird (NDR 1962 und BBC 1964) – im Westen zwar noch immer der »Dichter« Brecht vom »Marxisten« Brecht geschieden, während man im Osten den sozialistischen »Staatsdichter« Brecht feiert. Anfang der 70er Jahre wird diese Sicht im Westen jedoch problematisch, weshalb die Interpretationsweisen in den Hintergrund treten, die in Galileis Verhalten v. a. das Leben des Autors gespiegelt sehen. Mit der Vielzahl der Inszenierungen und deren Erfolgen auf ost- und westdeutschen Bühnen – letztere trotz der Brecht-Aufführungsboykotte im Zuge der Ereignisse des 17. 6. 1953 und des Mauerbaus am 13. 8. 1961 – sowie mehrerer herausragender Darbietungen im Ausland wird das Stück *Leben des Galilei* verstärkt auch hinsichtlich Brechts Theatertheorie diskutiert. In den Blickpunkt rücken damit die folgenden Fragen: Zielt die Inszenierung auf Einfühlung in die Figur Galilei oder auf kritische Distanz zu ihr? Handelt es sich bei diesem Stück um eine Tragödie oder um ein Lehrstück? Welche Rolle spielen die Prinzipien der »Historisierung« oder der »Verfremdung« bei der Inszenierung? Wie aktuell kann das Stück sein?
Insofern durchziehen zwei Themen nahezu alle Kritiken: zum einen die ausführliche Würdigung der gewählten Fassung, einschließlich ihrer Konsequenzen für die Gegenwart, zum anderen die Charakteristik der jeweiligen Galilei-Darstellung samt ihren Widersprüchen, und diese reicht von einer »Mischung von List und Läuterung« über die »Vorstellung vom ›neuen Physikertyp‹«, der Gestaltung eines »plebejischen Intellektuellen« bis hin zum »menschlichen Mephisto«. Deutlich wird in den letzten Jahren eine zunehmende Präferenz der frühen Fassung von 1938, die immer öfter unverändert oder verbunden mit Teilen der Fassung von 1955 gespielt wird.
Abschließend lässt ein Blick auf die Kritiken (vgl. Wyss 1977, Schumacher 1977, Ihering 1980, Knust 1982, [6]1993, Funke 1990, Lyon 1994) noch ein Charakteristikum der Aufführungsgeschichte dieses Stückes erkennen. Wie bei wohl keinem anderen Drama Brechts spielen bei *Leben des Galilei* neben den Regisseuren (z. B. Steckel, Losey, Siems, Engel, Buckwitz, Strehler, Bennewitz, Wekwerth/Tenschert u. v. a.) die Darsteller der zen-

tralen Figur (z. B. Steckel, Laughton, Brüninghaus, Busch, Zeidler, Buazelli, Schröder, Heinz, Schall u. v. a.) eine herausragende Bedeutung für die Wertschätzung der einzelnen Inszenierung.

Probleme und Perspektiven – Interpretationen

Überblickt man das bisherige Deutungsspektrum, so lassen sich drei Hauptlinien nachzeichnen. Entscheidend ist dabei das methodische Prinzip des Vergleichs. So versucht die erste Gruppe der Interpreten, die verschiedenen Fassungen des Stücks in Form und Inhalt sowie den historischen Galilei mit der Titelfigur des Stückes zu vergleichen. Ist Galilei eine positive oder negative Gestalt, ein Held oder Verräter? – lautet anfänglich die zentrale Frage, die nach und nach differenzierter beantwortet wird, indem die Widersprüchlichkeiten im Verhalten Galileis und die Konsequenzen seines Widerrufs innerhalb der gesellschaftlichen Verhältnisse ins Blickfeld treten. Daneben werden die Unterschiede der drei Fassungen bewertet, der »listige Galilei« bewundert, der Verrat Galileis gebrandmarkt und die Bedeutung der Fassungen für die Textgeschichte und die Biografie Brechts analysiert.

Von diesem weitgehend komparatistischen Ansatz werden auch die Interpretationen der zweiten Gruppe getragen, in denen das Schauspiel auf die Biografie Brechts und seine verschiedenen Werke, einschließlich der Entwicklung seiner Theatertheorie, bezogen wird, sodass es letztlich als Endpunkt einer kontinuierlichen Entwicklung verstanden werden kann. Dieses Prinzip der Gegenüberstellung bestimmt ebenso den eher problematischen Versuch, die Stückfigur mit dem Stückeschreiber zu vergleichen.

Für den dritten und zugleich heute dominierenden Kreis der Interpreten sind die Themen des *Galilei*, seine spezifische Machart und die »politische Ästhetik« Brechts entscheidend, was dazu führt, dass Gesamtdarstellungen gegenüber Einzelaspekten immer mehr in den Hintergrund treten. Von Bedeutung sind dabei insbesondere die Untersuchungen, die das Drama Brechts nicht allein mit dessen eigenen Anmerkungen, Notizen und Kommentaren zu erklären suchen, sondern den Interpreten Brecht selbst mit in die Analyse einbeziehen. Auf diese Weise werden durchaus Widersprüche deutlich, denn nicht immer ist der Autor »der beste« Interpret seiner Figuren und Szenen.

Im Folgenden soll die Entwicklung der Forschung chronologisch nachgezeichnet werden. Kurz nach dem Erscheinen des Textes von *Leben des Galilei* beginnt auch die Geschichte seiner Interpretationen, und zwar mit einem Aufsatz von Käthe Rülicke. Auf der Basis ihrer Mitarbeit an der Brecht-Inszenierung am Berliner Ensemble zeichnet sie die Bedeutung der 14. Szene für das Stück detailliert nach. Eindrucksvoll versucht sie ihre Grundthese von der Relevanz der Verurteilung Galileis zu beweisen:

»In der 13. Szene [der Bühnenfassung, im Druck: 14. Szene] zeigt Brecht seinen Galileo Galilei als eitlen bösartigen alten Mann: Er hat widerrufen, er ist gefangen, er ist demoralisiert. Freilich, er liefert die *Discorsi* – aber die Leistung besteht im Vorhandensein des unter Entbehrungen geschriebenen Buches, nicht in der – zufälligen Übergabe. Er hat eine neue Physik aufgebaut, aber er hat die produktive Verwendbarkeit dieser Physik erschwert; er wurde zum Schöpfer neuer Produktivkräfte, aber er wurde zu ihrem sozialen Verräter; er hat die revolutionäre Theorie geliefert, aber er hat die Praxis nicht geschafft. Auch wenn er die Analyse seines Falles liefert, eine Warnung für die Kommenden, das Werk kann den Schaden nicht aufwiegen, den sein Verrat der Gesellschaft zugefügt hat. Die Übergabe des Buches, aus Eitelkeit, bleibt Dienst an der Gesellschaft, die in der Person des Andrea Sarti die *Discorsi* abfordert. Und doch, mit Recht: ›Ein Mann, der das tut, was ich getan habe, kann in den Reihen der Wissenschaft nicht geduldet werden.‹
Alle Fragen, die Brecht in den ersten zwölf Szenen seines *Leben des Galilei* stellt, beantwortet er in der Schlußszene, der gewichtigsten und schönsten des Stückes, freilich nicht, ohne damit zahlreiche neue Fragen aufzuwerfen. (Mat. I, S. 93 f.).

Im Anschluss an Käthe Rülickes Interpretation dominieren die schulpraktischen Kommentare. Im Westen schafft Günter Rohrmoser (1958) die Grundlagen, indem er die Unterschiede der drei Fassungen sowie deren verschiedenen Schlüsse betont. Für ihn geht es dabei um die »Beurteilung der Gestalt des Galilei, seiner Unterwerfung unter die Inquisition und um die Antwort auf die Frage nach dem Beginn der neuen Zeit und damit eines neuen Zeitalters«. Zugleich findet sich hier bereits die Zweiteilung zwischen dem Poeten und Parteidichter Brecht, die gegeneinander ausgespielt werden, d. h., es wird weniger der Verrat Galileis herausgestellt als vielmehr dessen Verhalten im »Sinne einer List der Vernunft« oder allgemein:

»Die erregendsten Leistungen Brechts verdanken wir seiner Unfähigkeit, den Artisten in sich zugunsten eines blinden Gehorsams gegenüber der Parteilinie zu töten, und seinem Geschick, aus der Spannung, die sich daraus ergibt, artistisch den höchsten Nutzen zu ziehen. In der doppelten Verantwortung, einmal vor dem zu leistenden Werk, zum anderen vor der Gesellschaft, der dieses Werk verpflichtet ist und der es dienen will, liegt das Problem, um das es im Leben des Galilei geht« (S. 410).

Rohrmosers Darstellung wird in zahlreichen Beiträgen teils aufgegriffen und fortgeführt, teils abgelehnt und durch Analyse eher unbeachteter Materialien wie Brechts *Aufbau einer Rolle* ergänzt (vgl. Geißler 1961, Hafen 1961, Kelsch 1963, Zimmermann 1965, Lucke 1968). In der DDR erscheinen die literaturdidaktischen Beiträge v. a. in der Ostberliner Zeitschrift *Deutschunterricht* (vgl. Kraemer 1959, Fischer u. a. 1960, Hecht 1960, Hoy 1973).
Nachdem Johannes Klein bereits 1957 Brechts Stück der Novelle *Am Tor des Himmels* (1954) von Gertrud von Le Fort mit Blick auf die gemeinsame Zentralfigur gegenübergestellt hat, setzen in den 60er Jahren verstärkt Vergleiche des Schauspiels mit thematisch verwandten Werken ein. So versteht etwa Hans Mayer (1962) Friedrich Dürrenmatts Stück *Die Physiker* (1962) als eine »Zurücknahme des Galilei«:

»Brechts hintergründiges Schauspiel, das dem Stückeschreiber selbst aus den Händen glitt und das er immer wieder einzufangen bemüht war, läßt sowohl die Entwicklung auf positiv heldenhaftes Handeln zu, inspiriert durch den Anblick des negativ handelnden Galilei (hier arbeitet Brecht mit ähnlichen Mitteln wie bei der negativ handelnden Gestalt der Mutter Courage), wie auch die erst von Dürrenmatt zu Ende gedachte Möglichkeit, daß die Physiker in der heutigen Welt und Gesellschaft nicht mehr zu Helden irgendwelcher Art taugen, weder negativ noch positiv« (S. 402).

Der Motivvergleich wird bezüglich Carl Zuckmayers epischem Bilderbogen *Das kalte Licht* (1955) und Heinar Kipphardts Drama *In der Sache J. Robert Oppenheimer* (1964) fortgeschrieben (Wood 1963, Maßberg 1965, Weimar 1966). 1969 stellt Fritz Chmelka Brechts Stück dem Roman von Zsolt von Harsányi *Und sie bewegt sich doch – ein Roman um Galilei*

(1937), Arthur Koestlers Sachbuch *Die Nachtwandler* (1959) sowie Frank Zwillingers Schauspiel *Galileo Galilei* (1953) gegenüber.
Neben diesen komparatistischen Studien tritt gleichzeitig die Analyse der widersprüchlichen Gestalt Galileis (Lyons 1966) in den Mittelpunkt, die auch Helmut Jendreiek (1969) genauer zu bestimmen versucht:

»Galilei widerruft, zugleich aber fixiert der Stückeschreiber das Nicht-Sondern, nach dem Galilei sich nicht so hätte verhalten müssen, sondern auch anders hätte verhalten können. Sinn dieser Technik ist es, die Einfühlung zu zerstören und dem Zuschauer den geforderten kritischen Abstand zu sichern. Der Zuschauer ist durch sein von der geschichtlichen Überlieferung geprägtes Vorwissen um die Geschichte des Physikers Galilei geneigt, Galilei nur als den Helden der Wissenschaft zu sehen und sich durch Einfühlung mit ihm und seiner Verhaltensweise zu identifizieren« (S. 288).

Für grundlegend neue Erkenntnisse über das Stück sorgen in den 60er Jahren Ernst Schumacher und Werner Mittenzwei. Jeder der beiden Interpreten legt mit seinem Ansatz eine Fährte, die in der späteren Forschung weiterverfolgt wird. Ernst Schumacher versucht, das Drama aus seinen Entstehungsbedingungen zu verstehen und *Leben des Galilei* aus der Historie und für die Geschichte zu bestimmen (Schumacher 1965). Dabei kontrastiert er ausführlich den historischen Galilei mit Brechts Gestaltung der Figur, zeigt exakte Übernahmen ebenso auf wie entscheidende Differenzen, seien es historische Daten, seien es Galileis Überzeugungen oder dessen gesellschaftliche Position.
Werner Mittenzwei entwickelt das Modell, *Leben des Galilei* als Einlösung eines Programms zu lesen, indem er v. a. Brechts Entwicklung als Theaterautor nachzeichnet. Schon der Titel *Bertolt Brecht. Von der »Maßnahme« zu »Leben des Galilei«* (1962) weist auf Mittenzweis Absicht hin: Es geht um den Fortschritt eines Schriftstellers, d. h. um die Entwicklung vom bürgerlichen Intellektuellen zum sozialistischen Dramatiker, vom abgelehnten »Lehrstück« zum künstlerischen Meisterwerk des sozialistischen Realismus.
Zu Diskussionen führt in den 60er Jahren auch Gerhard Szczesnys Buch *Brecht, Leben des Galilei. Dichtung und Wirklichkeit*

(1966), in welchem das Theaterstück zum »Fall Bertolt Brecht« wird, der »sich nur psychologisch klären« lässt. Neben vielen anderen kritisiert insbesondere Hans Mayer (1980) die zentrale These des Buches, wonach sich die Stückfigur v. a. aus der Biografie ihres Autors erkläre.
Nach den eher allgemeinen Analysen der 60er Jahre werden die Studien in den 70er Jahren zunehmend konkreter und widmen sich verstärkt Motiven oder einzelnen Aspekten: z. B. dem Thema von Flucht und Emigration (Stern 1971), dem Verhältnis von Vision und Blindheit (Fehn 1978) sowie Ordnung und Unordnung (Thomas 1979), den geistes- und naturwissenschaftlichen Zusammenhängen (Charbon 1974, Ley 1974, Deghaye 1977). Daneben wird einerseits die Bedeutung der theoretischen Grundlagen für Brechts Œuvre betont und andererseits werden theoretische Modelle für die Untersuchung seiner Werke fruchtbar gemacht, wie etwa die an der »Strukturanalyse als wissenschaftliche Methode« orientierte Studie von Rainer Nägele (1971), in der er demonstriert, welche zentrale Rolle der 8. Szene zukommt.
Schließlich spannt Jan Knopf (1978) einen großen wissenschaftsgeschichtlichen Bogen, um die Beziehung *Bertolt Brecht und die Naturwissenschaften* auch historisch treffend zu charakterisieren und das Motiv des Sehens als Leitmotiv des Stücks zu bestimmen.
Von grundlegender Bedeutung bis heute ist jenes Problem, das Alfred D. White 1974 mit der Frage aufwirft, auf welchen Text sich die Interpreten letztlich beziehen sollten: auf den von Brecht geschriebenen oder auf den von ihm auf der Bühne inszenierten. Für Theo Buck (1978) ist Brechts Stück v. a. exemplarisch für das Programm eines »dialektischen Theaters«. In seiner Analyse bringt er die Problematik des Dramas und seiner verschiedenen Fassungen prägnant auf den Punkt:

»Das in sich ambivalente Material wird von Brecht bewußt so gehalten und einer wechselvollen Gegenwart unter jeweils aktueller Perspektive zugeordnet. Galilei ist, so gesehen, Held und Verräter, Kämpfer für den Fortschritt und feiger Opportunist, Vertreter einer Wissenschaft für das Volk und ›sozialer Verbrecher‹, Träger der Wahrheit und Praktiker der List, genußfähig und schwach, sinnlich

und eitel, weise und bestechlich, Universalmensch und Spezialist, neuer Mensch und Verhinderer des Neuen. Das Urteil hängt ab von dem Kontext und seinen Konsequenzen. Nicht die historische Figur steht zur Frage – sonst widersetzte die überlieferte Wirklichkeit sich dem Unterfangen beträchtlich –, sondern das zwiespältige Strukturbild ihres Verhaltens in Geschichte und Gegenwart.
Wer dramenimmanent verfährt oder nach dem Muster: ›War Galilei wirklich so?‹, wird infolgedessen dem Stück nicht gerecht.« (Buck, S. 131f.)

Die 80er Jahre sind einerseits durch eine deutlich geringere Zahl an Interpretationen gekennzeichnet und andererseits durch die Wiederkehr der Gesamteinschätzungen des Stücks, sei es im Kontext von Brechts Gesamtwerk (Knopf 1980), seiner Dramen (Sautermeister 1984) oder im Kontext der *Geschichte als Schauspiel* (Müller 1981), sei es in der Vielzahl von literaturdidaktischen Darstellungen (Knust 1982, Eversberg 1984, Zimmermann 1985, Hahnengreß 1988, Neis 1988), sei es in den Studien anlässlich der ersten Edition der drei Fassungen (Schrader 1988, Dieckmann 1988, Jahn 1989), in den Studien zur Exilforschung (Nørregaard 1988) oder zu Brechts spezifischer Aneignung des Quellenmaterials (Knust 1989). Die Dissertation von Roderich Grimm (1987) mit ihrem struktural-funktionalen Ansatz zeigt überdies, ebenso wie die erste Dissertation zu *Leben des Galilei* aus dem Jahr 1968 von Helga Kästner, dass nicht nur Brecht sich bei der Bewertung der Titelfigur an den unterschiedlichen historischen Verhältnissen orientiert, sondern auch die Interpreten mit ihren jeweils »aktuellen« Methoden, um so die Spezifik des Brechtschen Stückes zu erhellen.
Aufschlussreich innerhalb der Interpretationen der 80er Jahre ist v. a. Jan Knopfs Analyse, da sie formale mit inhaltlichen Aspekten des Stückes verbindet und belegt, wie in *Leben des Galilei* stets zwei Bereiche miteinander kontrastiert werden: Das ptolemäische Sehen und das alte Theater stehen dem kopernikanischen Sehen und dem neuen Theater Brechts gegenüber, die neue Haltung, die sich v. a. in der Produktion und im Experiment zeigt, korrespondiert mit jener, die sich mit der Reproduktion und dem Studium der Bücher zufrieden gibt, und dem statischen Bild eines Welttheaters stellt Brecht sein historisches

Sehen bewusst gegenüber (vgl. auch Paulsell 1988). Probleme verschiedenster Art konstatiert Sautermeister (1984) in seinem Versuch, das Werk und dessen zentrale Kategorie – den Zweifel – sowohl auf das Stück als auch auf Brechts Theater- und Geschichtsverständnis anzuwenden, um so »Brechts Widersprüche« offen zu legen:

»Die moralische Blickrichtung auf die Zivilcourage des Wissenschaftlers in der 14. Szene personalisiert das Problem. Weil Brecht die fundamentale Spaltung des modernen Wissenschaftlers in einen staatsabhängigen Berufsmenschen und einen politisch unabhängigen Citoyen übergeht, kann er ihn zu einem öffentlichen Entscheidungsträger stilisieren, dem es anheimgestellt sei, als Märtyrer-Held oder als Berufsverräter gesellschaftspolitische Weichen zu stellen. Er verzeichnet die objektive, zwiespältige Stellung des Wissenschaftlers in der modernen Gesellschaft zu einem Problem der Moral und der Berufsauffassung. Der Wissenschaftler als Held, der um einer geschichtemachenden Wahrheit willen persönlich zugrunde geht oder einen ebenso geschichtemachenden Verrat an ihr begeht: diese altmodisch-heroische Alternative werfen Brecht-Galilei auf. Wir sagten schon, in welchen Gegensatz dadurch der historische Materialist zu seinem eigenen Weltbild gerät, welches das Individuum in den überkommenen bürgerlichen Gesellschaftsformationen weniger als Subjekt denn als Objekt des Geschichtsprozesses zu zeichnen pflegt. Es geht wahrhaft unbrechtisch zu in der 14. Szene der späteren Fassung, viel eher schillersch, mit dem Unterschied freilich, daß Schiller es sich versagt hat, seine Helden an *persönlichen* Beweggründen wie der Todesfurcht scheitern zu lassen« (Sautermeister 1984, S. 145).

Wird *Leben des Galilei* schon früh mit Brechts Leben verglichen (vgl. Lüthy 1952, Szczesny 1966, 1986), so sieht Betty Nance Weber (1981) in dem Stück die sowjetische Geschichte 1917–1938 gespiegelt und in der Figur Galilei den Revolutionär Trotzki.
Dieses Prinzip der Korrespondenz, d. h. einzelne Szenen Brechts auf Parallelen zu anderen Texten bzw. Personen hin zu untersuchen, bestimmt auch Herbert Knusts Deutungen (1985, 1986). Demnach legt Brecht die Biografie des berühmten Wissenschaftlers ganz bewusst als Gegenentwurf zum Evangelium, zum Leben Jesu und letztlich zur Heilsbotschaft Gottes an.
Aufschlussreich ist nicht zuletzt die Analyse von Horst Turk

(1989), der das Stück als Beispiel für Brechts »gestisches Theater« nachzeichnet, indem er neben der Vielzahl sozialer Gesten, deren Beziehung zum Wort, zur Handlung, zum Charakter und das Verhältnis der Gesten zueinander untersucht.
In den 90er Jahren erscheinen auf der einen Seite Neuauflagen bekannter Thesen aus den 80er Jahren (Knopf 1996, Sautermeister 1996), ein neuer literaturdidaktischer Kommentar (Hallet 1991), eine eigenwillige Darlegung der *Bauformen in Bertolt Brechts Schauspiel ›Das Leben des Galilei‹* (Weiss 1992) sowie Neuauflagen der Lektürehilfen (Beyersdorf/Thunich 1992, Knust [6]1993, Eversberg [5]1994). Auf der anderen Seite treten die eher textimmanente Betrachtungsweise (vgl. Tabbert-Jones 1995) sowie die vergleichende Textanalyse gegenüber den Untersuchungen zurück, die Brechts Drama vor dem Hintergrund eines theoretischen Konzepts, sei es des Dekonstruktivismus (Simpson 1990) oder der Postmoderne (Hallet 1994), diskutieren. Dabei beginnen die eher negativen Urteile über das Stück zu überwiegen (Suvin 1990, Lorey 1994), wobei die Diskussion allerdings auch hinter die erreichten Positionen der Forschung zurückfallen kann, sodass das bloße Ressentiment dominiert (vgl. Manthey u. a. 1995).
Für die schulische Analyse von besonderer Bedeutung ist Hallets Versuch (1994), die wichtige 8. Szene als konkretes Beispiel für Brechts Theatertheorie der Verfremdung sichtbar zu machen und diese Einsichten mit Brechts Beschreibung im Band *Aufbau einer Rolle* praktisch zu verbinden. Brechts Diktum: »Das Wichtige war der Theaterabend, der Text hatte ihn lediglich zu ermöglichen; in der Aufführung fand der Verschleiß des Textes statt, er ging in ihr auf wie ein Pulver im Feuerwerk!« (25,12) wird dabei zur zentralen Maxime. Sie gilt es in der vielfältigen Interpretation umzusetzen, die neben der Text- und Strukturanalyse des Stücks auch das »Erarbeiten von Grundgesten durch das Spielen kleinster Texteinheiten« sowie die Entwürfe alternativer Szenenverläufe vorsieht.

Literaturhinweise

Die Verweise auf Brechts Texte beziehen sich auf die Ausgabe: Bertolt Brecht, Werke. Große kommentierte Berliner und Frankfurter Ausgabe (GBA), hg. v. Werner Hecht, Jan Knopf, Werner Mittenzwei u. Klaus-Detlef Müller, Berlin u. Weimar / Frankfurt/M. 1988 ff. (genannt werden Band und Seitenzahlen).

A. Textausgaben *Leben des Galilei*

Leben des Galilei, in: Bertolt Brecht, Versuche, H. 14, Frankfurt/M. 1955 und Berlin/DDR 1955, S. 5-102 (Reprint: Frankfurt/M. 1977, S. 271-370).

Leben des Galilei, in: Stücke 8, Stücke aus dem Exil. Dritter Band, Frankfurt/M. 1957, S. 5-195, und Berlin/DDR 1957, S. 5-189.

Leben des Galilei, Frankfurt/M. 1963 (= es 1).

Leben des Galilei, in: Gesammelte Werke in 20 Bänden, Frankfurt/M. 1967, Bd. 3, S. 1229-1345.

Leben des Galilei [Fassung 1938/39], in: GBA, Bd. 5, Stücke 5, bearb. v. Bärbel Schrader u. Günther Klotz, S. 7-109.

Galileo [English Adaptation 1947], in: GBA 5, 117–186.

Leben des Galilei [Fassung 1955/56], in: GBA 5, 187–289.

B. Materialien zu *Leben des Galilei*

Aufbau einer Rolle. Galilei. Heft 1: Bertolt Brecht: Aufbau einer Rolle. Laughtons Galilei. Heft 2: Hanns Eisler: Aufbau einer Rolle. Buschs Galilei. Beilage: Bertolt Brecht: Leben des Galilei, Berlin/DDR 1956 (= Ruth Berlau: Modellbücher des Berliner Ensemble 2).

Hecht, Werner (Hg.): Materialien zu Brechts ›Leben des Galilei‹, Frankfurt/M. 1963 (= es 44) [zit. als: Mat. I].

Bertolt-Brecht-Archiv. Bestandsverzeichnis des literarischen Nachlasses, 4 Bde., bearbeitet v. Herta Ramthun, Berlin u. Weimar 1969 ff. [zit. als BBA].

Brecht, Bertolt: Leben des Galilei. Materialien und Bühnenfassung. Zusammengestellt und redigiert von Werner Hecht und Joachim Tenschert, 2 Bde., Berlin/DDR 1970.
Hecht, Werner (Hg.): Brechts »Leben des Galilei«, Frankfurt/M. 1981 (= stm 2001) [zit. als: Mat. II].
Brecht, Bertolt: Briefe, hg. und kommentiert von Günter Glaeser, 2 Bde., Frankfurt/M. 1981.
Brecht, Bertolt, Texte zu »Leben des Galilei«, in: GBA, Bd. 24, Schriften 4, S. 233-256.
Brecht, Bertolt: Aufbau einer Rolle. Laughtons Galilei, in: GBA, Bd. 25, Schriften 5, S. 7-69.

C. Interpretationen zu *Leben des Galilei*

Klein, Johannes: Ein Thema – zwei Variationen. Galilei bei Bertolt Brecht und Gertrud von Le Fort, in: Welt und Wort 12 (1957), S. 231-234.
Rülicke, Käthe: Leben des Galilei. Bemerkungen zur Schlußszene, in: Sinn und Form 9 (1957). 2. Sonderheft Bertolt Brecht, S. 269-321 (leicht gekürzt auch in: Mat. I., S. 93-154).
Rohrmoser, Günter: Brecht – Das Leben des Galilei, in: Das deutsche Drama vom Barock bis zur Gegenwart. Interpretationen, hg. v. Benno von Wiese, Bd. 2, Düsseldorf 1958, S. 401-414 (zitiert nach: ²1968, S. 405-419).
Kraemer, Hans-Alfred: Brechts »Leben des Galilei« – Versuch einer Interpretation für die Schule, in: Deutschunterricht, Berlin/DDR, 12 (1959), H. 5, S. 262-293.
Fischer, Gudrun u. a.: Brechts »Leben des Galilei«. Versuche zur Behandlung in Klasse 12, in: Deutschunterricht, Berlin/DDR, 13 (1960), H. 3, S. 149-158.
Hecht, Werner: Nochmals: »Leben des Galilei«, in: Deutschunterricht, Berlin/DDR, 13 (1960), H. 5, S. 296-299.
Geißler, Rolf: Zur Interpretation des modernen Dramas. Brecht, Dürrenmatt, Frisch, Frankfurt/M. u. a. 1961.
Hafen, Hans: Bertolt Brecht »Leben des Galilei«, in: Der Deutschunterricht, Stuttgart, 13 (1961), H. 4, S. 71-92.

Mayer, Hans: Dürrenmatt und Brecht oder Die Zurücknahme, in: Der unbequeme Dürrenmatt, hg. v. Reinhold Grimm u. a., Basel/Stuttgart 1962, S. 97-116 (auch in: ders., Brecht, Frankfurt/M. 1996, S. 398-419).

Mittenzwei, Werner: Von der »Maßnahme« zu »Leben des Galilei«, Berlin/DDR 1962 (Ausschnitte in: Mat. II, S. 204-216).

Kelsch, Wolfgang: Bert Brecht: »Leben des Galilei«. Versuch einer Interpretation, in: Pädagogische Provinz 17 (1963), S. 274-285.

Wood, Frank: Gertrud von Le Fort and Bertolt Brecht: Counter Reformation and Atomic Bomb, in: Studies in German Literature, ed. by Carl Hammer, Baton Rouge 1963, S. 136–147, 164.

Maßberg, Uwe: Der gespaltene Mensch. Vergleichende Interpretationen der Physiker-Dramen von Brecht, Dürrenmatt, Zuckmayer und Kipphardt auf der Oberstufe, in: Der Deutschunterricht, Stuttgart, 17 (1965), H. 6, S. 56-74.

Schumacher, Ernst: Drama und Geschichte. Bertolt Brechts »Leben des Galilei« und andere Stücke, Berlin/DDR 1965.

Zimmermann, Werner: Brechts »Leben des Galilei«. Interpretation und didaktische Analyse, in: Beihefte zum Wirkenden Wort 12 (1965).

Lyons, Charles R.: »The Life of Galileo«. The Focus of Ambiguity in the Villain Hero, in: Germanic Review 41 (1966), S. 57-71.

Szczesny, Gerhard: Brecht, Leben des Galilei. Dichtung und Wirklichkeit, Frankfurt/Berlin/Wien 1966.

Weimar, Karl S.: The Scientist and Society. A Study of Three Modern Plays, in: Modern Language Quarterly 27 (1966), S. 431-448.

Kästner, Helga: Brechts »Leben des Galilei«. Zur Charakterdarstellung im epischen Theater. Diss. München 1968.

Lucke, Hans: Schulpraktischer Kommentar zu Brechts »Leben des Galilei«, in: Der Deutschunterricht, Stuttgart, 20 (1968), H. 3, S. 67-84.

Chmelka, Fritz: Der »Fall Galilei« historisch gesehen und im Spiegel heutiger Darstellung als Roman und als Schauspiel, in: Wissenschaft und Weltbild 22 (1969), S. 46-59.

Jendreiek, Helmut: Bertolt Brecht. Drama der Veränderung, Düsseldorf 1969.
Nägele, Rainer: Zur Struktur von Brechts »Leben des Galilei«, in: Der Deutschunterricht, Stuttgart, 23 (1971), H. 1, S. 86–99.
Stern, Guy: The Plight of the Exile: A Hidden Theme in Brecht's »Galileo Galilei«, in: Brecht heute 1 (1971), S. 110-116 (auch als: Not und Elend des Exilanten: Ein verborgenes Thema in Brechts »Leben des Galilei«, in: ders., Literatur im Exil: Gesammelte Aufsätze 1959–1989, Ismaning 1989, S. 311–318).
Hoy, Hans: Szenenübersicht zu Brechts »Leben des Galilei«, in: Deutschunterricht, Berlin/DDR, 26 (1973), S. 79-86.
Charbon, Rémy: Die Naturwissenschaften im modernen deutschen Drama, Zürich/München 1974.
Ley, Ralph J.: Francis Bacon, »Galileo«, and the Brechtian Theater, in: Essays on Brecht. Theater and Politics, ed. by Siegfried Mews and Herbert Knust, Chapel Hill 1974, S. 174–189.
White, Alfred D.: Brechts »Leben des Galilei«. Armchair Theatre?, in: German Life & Letters 27 (1974), S. 124-132.
Deghaye, Pierre: Galilée marxiste et le mysticisme astral. Essai sur la Vie de Galilée de Bertolt Brecht, Paris 1977.
Buck, Theo: Dialektisches Drama, dialektisches Theater. Anmerkungen zu Brechts »Leben des Galilei«, in: Études Germaniques 33 (1978), S. 414-427 (auch in: ders. (Hg.): Zu Bertolt Brecht. Parabel und episches Theater, Stuttgart 1979, S. 127-139).
Fehn, Ann Clark: Vision and Blindness in Brecht's »Leben des Galilei«, in: The Germanic Review 53 (1978), S. 27-34.
Knopf, Jan: Bertolt Brecht und die Naturwissenschaften, in: Brecht-Jahrbuch 1978, Frankfurt/M. 1978, S. 13-48 (auch in: Mat. II, S. 163-188).
Thomas, Linda L.: Ordnung und Wert der Unordnung bei Bertolt Brecht, Bern/Frankfurt/Las Vegas 1979.
Knopf, Jan: Brecht-Handbuch. Theater. Eine Ästhetik der Widersprüche, Stuttgart 1980.
Mayer, Hans: Galilei und Brecht und die Folgen, in: Festschrift for E. W. Herd, ed. by August Obermayer, Dunedin 1980,

S. 167-179 (auch in: ders., Brecht, Frankfurt/M. 1996, S. 378–397).

Weber, Betty Nance: »The Life of Galileo« and the Theory of Revolution in Permanence, in: Bertolt Brecht: Political Theory and Literary Practice, ed. by B. N. Weber and Hubert Heinen, Athens 1980, S. 60-78.

Müller, Klaus-Detlef: Bertolt Brechts »Leben des Galilei«, in: Geschichte als Schauspiel. Deutsche Geschichtsdramen. Interpretationen, hg. v. Walter Hinck, Frankfurt/M. 1981, S. 240-253 (= stm 2006).

Knust, Herbert: Bertolt Brecht: Leben des Galilei. Grundlagen und Gedanken zum Verständnis des Dramas, Frankfurt/M. 1982, [6]1993.

Eversberg, Gerd: Erläuterungen zu Bertolt Brecht »Leben des Galilei«, Hollfeld 1984, [5]1994.

Sautermeister, Gert: Zweifelskunst, abgebrochene Dialektik, blinde Stellen: »Leben des Galilei« (3. Fassung, 1955), in: Brechts Dramen – Neue Interpretationen, hg. v. Walter Hinderer, Stuttgart 1984, S. 125-161.

Zimmermann, Werner: Bertolt Brecht »Leben des Galilei«. Dramatik der Widersprüche, Paderborn 1985.

Knust, Herbert: Brechts Galileo-Evangelium, in: Euphorion 79 (1985), H. 2, S. 207-225.

Grimm, Reinhold: Die Luthersprache im Munde Brechts, in: Deutsche Sprache 14 (1986), S. 235-242.

Knust, Herbert: Aufstieg und Fall der Wissenschaftsapostel: Zur Literarisierung der »Physiker«, in: Sprache im technischen Zeitalter (1986), H. 98, S. 120-134.

Szczesny, Gerhard: Bertolt Brechts »Leben des Galilei« – Dichtung und Wirklichkeit, Bonn 1986.

Grimm, Roderich: Verfremdung in Bertolt Brechts »Leben des Galilei«, Frankfurt/Bern/New York 1987.

Dieckmann, Friedrich: »Galilei«-Komplikationen, in: Weimarer Beiträge 34 (1988), H. 2, S. 213-229.

Hahnengreß, Karl-Heinz: Lektürehilfen Bert Brecht »Leben des Galilei«, Stuttgart 1988.

Neis, Edgar: Bertolt Brecht »Leben des Galilei«. Die Tragödie der Wahrheitssuche, Hollfeld 1988.

Nørregaard, Hans Christian: Zur Entstehung von Brechts »Leben des Galilei«, in: Text & Kontext 1988, Sonderreihe, Bd. 26, S. 65-86.

Paulsell, Patricia R.: Brecht's Treatment of the Scientific Method in his »Leben des Galilei«, in: German Studies Review 11 (1988), S. 267-284.

Schrader, Bärbel: Brechts »Leben des Galilei« – Entstehung und Wandlung eines Werkes für das Theater der Zeit, in: Weimarer Beiträge 34 (1988), H. 2, S. 199-212.

Jahn, Michael: Von der Vernunft in den Kämpfen der Zeit. Zu den Fassungen von Bertolt Brechts »Leben des Galilei«, in: Deutschunterricht, Berlin/DDR, 42 (1989), S. 429-433.

Knust, Herbert: Kontexte: Beobachtungen zu Brechts »Galileo«, in: Grenzerfahrung – Grenzüberschreitung. Festschrift für P. M. Mitchell, hg. v. Leonie Marx und Herbert Knust, Heidelberg 1989, S. 215-227.

Turk, Horst: Das gestische Theater B. Brechts, in: Études Germaniques 44 (1989), S. 38-53.

Simpson, Patricia Anne: Revolutionary Reading: The Circulation of Truth in Brecht's »Leben des Galilei«, in: The Brecht Yearbook 15 (1990), S. 165-184.

Suvin, Darko: Brecht's Parable of Heavenly Food: »Life of Galileo«, in: The Brecht Yearbook 15 (1990), S. 187-214.

Suvin, Darko: Brecht's »Life of Galileo«: Scientistic Extrapolation or Analogy of the Knower?, in: Forum Modernes Theater 5 (1990), H. 2, S. 119-138.

Hallet, Wolfgang: Bertolt Brecht »Leben des Galilei«. Oldenbourg-Interpretationen, München 1991.

Beyersdorf, Peter/Thunich, Martin: Bertolt Brecht »Leben des Galilei«, Hollfeld 1992.

Weiss, Norbert: Bauformen in Bertolt Brechts Schauspiel »Leben des Galilei«, Nordenham 1992.

Hallet, Wolfgang: Der kleine Mönch und der große Galilei. Einfühlung und Verfremdung in Brechts »Leben des Galilei« und im Literaturunterricht, in: Diskussion Deutsch 25 (1994), S. 305-312.

Lorey, Christoph: Glaube und Zweifel, Lüge und Wahrheit, Genialität und Einfalt. Georg Büchners »Dantons Tod« und Ber-

tolt Brechts »Leben des Galilei«, in: DVjS 68 (1994), S. 251–277.
Tabbert-Jones, Gudrun: Brecht's Female Characters in »The Life of Galileo«, in: Brecht Unbound. Ed. by James K. Lyon, Hans-Peter Breuer, London 1995, S. 252-267.
Knopf, Jan: Bertolt Brecht: »Leben des Galilei«. Sichtbarmachen des Unsichtbaren, in: Interpretationen: Dramen des 20. Jahrhunderts, Bd. 2, Stuttgart 1996, S. 7-26.
Sautermeister, Gert: »Leben des Galilei«. Zweifelskunst, abgebrochene Dialektik, blinde Stellen, in: Interpretationen: Brechts Dramen, hg. v. Walter Hinderer, Stuttgart 1996, S. 51-92.

D. *Leben des Galilei* – Rezeption und Theaterpraxis

Lüthy, Herbert: Vom armen Bert Brecht, in: Der Monat 4 (1952), H. 44, S. 115-144.
Niessen, Carl: Brecht auf der Bühne, Köln 1959.
Bunge, Hans: Fragen Sie mehr über Brecht. Hanns Eisler im Gespräch, München 1970.
Communications from the International Brecht Society 1 (1972)ff.
Wyss, Monika: Brecht in der Kritik, München 1977.
Schumacher, Ernst: Brecht-Kritiken, Berlin/DDR 1977.
Ihering, Herbert: Bert Brecht hat das dichterische Antlitz Deutschlands verändert. Gesammelte Kritiken zum Theater Brechts. Hg. u. eingeleitet v. Klaus Völker, München 1980.
Funke, Christoph: Zum Theater Brechts. Kritiken, Berichte, Beschreibungen aus drei Jahrzehnten, Berlin 1990.
Dreigroschenheft. Informationen zu Bert Brecht, Augsburg 1 (1994)ff.
Lyon, James K. (Hg.): Brecht in den USA, Frankfurt/M. 1994 (= stm 2085).
»Galilei« ist eine Tragödie. Galilei-Diskussion – Brecht-Tage 1994. Jürgen Manthey, B. K. Tragelehn und Friedrich Dieckmann diskutieren mit dem Publikum Bertolt Brechts »Leben des Galilei«, moderiert von Frank-M. Raddatz, in: Zwischen den Zeiten. Zwischen den Welten. Hg. v. Ewa Boura und Inge Gellert, Berlin 1995, S. 167-194.

kopernikanische Weltsystem: Nikolaus Kopernikus (1473–1543) begründet das »heliozentrische« Weltbild, wonach die Sonne der Mittelpunkt der zirkulierenden Planetenbahnen (einschließlich der Erdbahn) ist, die Erde sich täglich um ihre Achse dreht und ihrerseits vom Mond umkreist wird. 9.3

Glas Milch: Vgl. zu diesem zentralen Motiv S. 12, 14, 23, 42, 51, 55, 69, 127, 131, 133. 9.11

ptolemäischen Systems: Bezeichnung für das »geozentrische« Weltbild, wie es Claudius Ptolemäus (ca. 90–168), Geograf, Mathematiker und Astronom im ägyptischen Alexandria, in seinem Hauptwerk *Almagest* (Großes astronomisches System) begründet hat. Danach ruht die Erde im Mittelpunkt der Welt und wird von sieben Planeten umkreist, von Sonne, Mond, Saturn, Jupiter, Mars, Venus und Merkur. Zu Galileis Zeit gilt diese Vorstellung als unumstößliche Lehrmeinung, da sie sich mit dem Augenschein, den Lehren des Aristoteles und den Aussagen der Bibel in Übereinstimmung bringen lässt. 9.28

Astrolab: Ein von den Arabern erfundenes, von Ptolemäus detailliert beschriebenes astronomisches Messgerät zur Bestimmung von Längen, Breiten und Winkeln der Himmelskoordinaten. 9.30

kristallnen Sphären: Nach der von Aristoteles (384–322 v. Chr.) begründeten Sphärentheorie entspricht das Weltall einer großen Kugel aus ineinander liegenden Kristallschalen, in deren Mittelpunkt die Erde ruht. 10.9

daß er ihm den Rücken abreibe: Erster von vielen Hinweisen auf die Sinnlichkeit Galileis. Er bedarf stets einer behaglichen Situation, um produktiv zu sein. 10.23–24

seit unsere Schiffe: Durch die Fahrten von Christoph Columbus nach Amerika (1492) und von Vasco da Gama um Afrika bis nach Indien (1498) kann die bisherige Hypothese von der Kugelgestalt der Erde belegt werden. 11.6

auf den lachenden Kontinenten: Vgl. Brechts Radiolehrstück *Der Flug der Lindberghs* (3, 15 ff.; vgl. auch 14,56 u. 491 f.). 11.7–8

Denn wo der Glaube . . . Zweifel: Auf der Grundlage der neuen 11.27–28 naturwissenschaftlichen Erkenntnisse begründet René Descartes (1596–1650) den methodischen Zweifel als Ausgangspunkt seiner Philosophie und formuliert im Prinzip des »Rationalismus«, d. h. der Kritik an allem, was bisher gemäß dem Glauben erklärt worden ist, elementare Prinzipien der sich entwickelnden Naturwissenschaften. Vgl. Brechts Auseinandersetzung mit Descartes zu Beginn der 30er Jahre (21,534f.) sowie das Gedicht *Lob des Zweifels* (14,459ff.), das gleichzeitig mit der Arbeit am Stück entsteht.

11.35–12.1 **Die Himmel ... sind leer:** Vgl. Brechts Gedicht *1940* (12, 96ff.).

12.26 **selbst im Schachspiel:** Anspielung auf die Neuerungen in den Regeln des europäischen Schachspiels im Laufe des 15./16. Jh.s. Dabei wird einerseits die Rochade eingeführt, d. h. die Möglichkeit des Stellungswechsels von König und Turm auf der Grundlinie, andererseits erhalten die Läufer und die Dame veränderte Bewegungsmöglichkeiten.

12.28 **Wie sagt der Dichter?:** Brecht zitiert hier direkt aus seinen Quellen für das Stück: Emil Wohlwill, *Galilei und sein Kampf für die copernikanische Lehre*, Bd. 1, Hamburg/Leipzig 1909, S. 125, sowie aus Francis Bacons erstmals 1620 veröffentlichtem *Novum Organum*, das Brecht in der Ausgabe *Franz Bacos Neues Organon*, hg. v. J. H. v. Kirchmann, Berlin 1870, S. 177ff., benutzt.

12.28–29 **O früher Morgen des Beginnens!:** Vgl. Brechts um 1945 geschriebenes Gedicht *O Lust des Beginnens! O früher Morgen* (15,171f.).

13.3 **Kippernikus:** Mit der Anspielung auf die Bewegung des »Kippens« wird deutlich, wofür der Name Kopernikus steht: Er »kippt«, d. h., er stürzt die alten Vorstellungen.

13.14 **Glotzen ist nicht sehen:** Galilei wendet sich hier, wie auch Bacon und Descartes, gegen das zu seiner Zeit gültige Prinzip, vom bloßen Augenschein der Dinge zu ihren Zusammenhängen und Ursachen zu gelangen. Brecht betont den Gegensatz zwischen Sehen und Glotzen bereits bei der allerersten Aufführung eines Brecht-Stücks, als er 1922 für die Inszenierung von *Trommeln in der Nacht* im Zuschauerraum Plakate mit der Aufschrift »Glotzt nicht so romantisch!« aufhängen lässt.

Zeitalter ... Lust ist: Anspielung auf Ulrich von Huttens Ausspruch von 1518: »O saeculum! O literae! Iuvat vivere!« (O Jahrhundert, o Wissenschaften! Es ist eine Lust zu leben!). 14.23–24

Rohr: 1608 stellt der holländische Linsenschleifer Hans Lipperhey das erste Linsenfernrohr her, von dem Galilei ein Jahr später erfährt. Galileis nachgebautes und von ihm als eigene Erfindung ausgegebenes Instrument erreicht eine zwanzigfache Vergrößerung und kann damit zu astronomischen Zwecken eingesetzt werden. 17.13

Kurator: Vermögensverwalter. Brecht gestaltet die Figur in Anlehnung an den Prokurator Antonio Priuli, den höchsten Staatsbeamten in der Republik Venedig. 18.10

Republik: Seit dem 7. Jh. ist Venedig Republik, die im Gegensatz zu den ital. Fürstentümern nicht von Herzögen in Erbfolge regiert wird, sondern von mehreren adligen Familien, die aus ihrem Kreis die Vertreter der Regierung (Signoria) stellen und gemäß der venezianischen Verfassung den Dogen als Staatsoberhaupt wählen. Zusammen mit der Republik Genua ist Venedig im 17. Jh. der fortschrittlichste, vom Einfluss der röm. Kirche weitgehend unabhängige Staat in Italien. 18.26

philosophischen Fakultät: Gemeint sind die Fakultäten der sieben Freien Künste, d. h. die drei sprachlichen Fächer Grammatik, Rhetorik, Dialektik sowie die vier mathematischen Arithmetik, Geometrie, Musik und Astronomie. 19.3–4

sogar Protestanten: Durch den Schutz der Republik Venedig ist die Universität Padua relativ unabhängig vom Einfluss der röm.-kath. Kirche, sodass auch Protestanten zum Studium zugelassen werden. 19.17

Cremonini: Caesar Cremonini, Professor für Philosophie und Mathematik an der Universität Padua, wird wegen seiner wissenschaftlichen Arbeiten mehrmals bei der Inquisition denunziert (vgl. Wohlwill, a. a. O., Bd. 1, S. 124). 19.19

Inquisition: Ein seit dem 13. Jh. direkt dem Papst unterstelltes Gericht der röm.-kath. Kirche, das über die Einhaltung der Glaubenslehre wacht und sich vorwiegend aus Dominikanern und Franziskanern zusammensetzt. Von Papst Gregor IX. 1231 einberufen, setzt die Inquisition Folter, Kerker und Tod zur Bestrafung von Ketzern ein. 1542 erweitert Papst Paul III. die Kom- 19.19–20 petenzen in Form des »Heiligen Offiziums«. Im Gegensatz zu den ital. Fürstentümern, in denen die Inquisition ihre Macht unumschränkt ausüben kann, untersteht sie jedoch in Venedig der Oberaufsicht der Republik.

19.28 **Giordano Bruno**: 1548 in Nola bei Neapel geboren, wird der Philosoph wegen seiner auf den Erkenntnissen des Kopernikus aufbauenden Lehre 1576 der Ketzerei angeklagt, woraufhin er ins Ausland flieht. Bei seiner Rückkehr nach Venedig fällt er 1592 der Inquisition in die Hände und wird ein Jahr später nach Rom verschleppt. Gegenstand seines Prozesses, der sich über sieben Jahre hinzieht, sind v. a. seine Thesen von der Unendlichkeit der Welt, die Bruno aus der Unendlichkeit Gottes schließt, und der Vielheit und Gleichwertigkeit der Weltsysteme. Am 8. 2. 1600 wird er zum Tode verurteilt und am 17.2. öffentlich verbrannt. Vgl. auch Brechts Kalendergeschichte *Der Mantel des Ketzers* (18,374 ff.), die in direktem Zusammenhang mit der Arbeit am *Galilei* entsteht (*Journal*, 12. 2. 1939).

20.19 **Untersuchungen über die Fallgesetze**: Seit 1590 beschäftigt sich Galilei mit Problemen der Fallgesetze und der Schwerkraft, doch während seiner Zeit in Padua kommt es zu keiner Veröffentlichung seiner Studien.

20.30–31 **Herr Colombe**: Der Florentiner Mathematiker und Philosoph Ludovico delle Colombe bekämpft Galilei bereits vor dessen astronomischen Entdeckungen als einen antiaristotelischen Denker. Vom Standpunkt der Scholastik aus argumentierend, fordert er Galilei zu zahlreichen öffentlichen Polemiken und Verteidigungsschriften heraus.

20.34 **in Paris und Prag**: Anspielung Brechts auf die Übereinstimmung der naturwissenschaftlichen Arbeiten Galileis mit den Auffassungen Descartes' in Paris sowie den Studien Johannes Keplers, der ab 1600 in Prag lebt.

20.36 **Ihr Unglück ist Ihr Fach**: Als Mathematiker zählt Galilei zur philosophischen Fakultät, die innerhalb der Universitätshierarchie als untere Fakultät bewertet wird, im Gegensatz zu Rechtswissenschaft und Theologie.

21.15 **Aristoteles**: Im Mittelalter erlangt die Philosophie des griech. Denkers (384–322 v. Chr.), die alle Gebiete des gesellschaftlichen Seins und Denkens umfasst, den Rang einer unantastbaren

Autorität, d. h., seine Ergebnisse auf dem Gebiet der Metaphysik und auf allen anderen Gebieten werden von der Scholastik zur unumstößlichen Wahrheit erklärt.

Ihre Entdeckungen: Galileis Forschungen führen ihn zur Entwicklung zahlreicher Geräte und Instrumente, z. B. einer hydrostatischen Waage zur Bestimmung spezifischer Gewichte, eines Thermometers oder einer Wasserpumpe. 21.28

Proportionalzirkel: Den Vorläufer des Rechenschiebers entwickelt Galilei 1597 als »geometrisch-militärischen Zirkel«, um geometrische Berechnungen im Militärwesen zu vereinfachen. 22.2

berühmten Arsenal: Das große Zeughaus von Venedig gilt seit dem 13. Jh. als die führende technische Produktionsstätte in Europa. 22.25–26

Ihr verbindet ... das Maul: Anspielung auf das biblische Sprichwort »Du sollst dem Ochsen, der da drischt, nicht das Maul verbinden«; vgl. 5. Buch Mose 25,4. 22.30–31

sind wir wie Würmer: Brecht lässt Galilei in biblischer Ausdrucksweise sprechen; vgl. Hiob 25,6: »der Mensch, eine Made, und das Menschenkind, ein Wurm« und Psalm 6,8: »Mein Auge ist trübe geworden vor Gram.« 23.28

Sagredo: Vorbild für die Figur ist der venezianische Ratsherr Giovanni Francesco Sagredo (1571–1620), ein enger Freund und Vertrauter Galileis. Im 1632 erschienenen *Dialog* lässt Galilei drei Gesprächsteilnehmer auftreten: Filippo Salviati, der im Wesentlichen Galileis Anschauungen zum Ausdruck bringt, Giovanni Francesco Sagredo, der den gebildeten, vorurteilsfreien Laien verkörpert, sowie Simplicio als Anhänger der scholastisch-aristotelischen Schule, dessen Namen sowohl auf einen Kommentator des Aristoteles als auch auf die »Einfalt« anspielt. 25.9

Virginia: Brecht greift auf den Namen von Galileis unehelich geborener Lieblingstochter zurück, die 1600 als Virginia Gamba zur Welt kommt, 1616 als Nonne in San Matteo bei Arcetri eintritt und 1634 stirbt. 25.10

Als Lehrer der Mathematik: Brecht zitiert hier, wie auch in den folgenden Passagen, aus Wohlwill, a. a. O., Bd. 1, S. 230f. 25.15–16

auf den Mond gerichtet: Nachdem Galilei am 24. 8. 1609 der Signoria sein Fernrohr überreicht hat, beginnt er im Oktober mit seinen astronomischen Beobachtungen des Mondes, wobei er dessen erdähnliche Oberflächenstruktur entdeckt. 26.27–28

27.6 **Milchstraße:** Mittels seines Fernrohrs kann Galilei beweisen, dass die Milchstraße nicht, wie von Aristoteles angenommen, ein Nebel sei, sondern eine Anhäufung zahlloser Sterne.

29.2 **10. Januar 1610:** Dieses Datum entspricht dem historisch belegten Zeitraum der Jupiter-Beobachtungen Galileis. Drei der größten Jupitermonde entdeckt er am 7.1. und einen am 13. 1. 1610. Dadurch kann Galilei belegen, dass Aristoteles' Auffassung, die Planeten seien fest mit undurchdringlichen Kristallschalen verbunden, nicht stimmt.

30.28 **Journal:** Anspielung auf Brechts eigene Praxis, ein Journal zu führen. In seinen *Journalen* notiert und kommentiert Brecht vom 20. 7. 1938 bis zum 18. 7. 1955 Ereignisse der Zeitgeschichte und Gedanken zur eigenen Arbeit.

32.11–12 **Wasserpumpe . . . Berieselungsanlage:** Für die Bewässerung eines städtischen Gartens in Padua erprobt Galilei 1604 seine bereits 1593 konstruierte »Maschine zum Heben von Wasser«.

33.22 **Orion:** Auch die sogenannten Nebel im Sternbild des Orion können von Galilei mit Hilfe seines Fernrohrs als Sterne ausgemacht werden.

33.23–25 **die vielen Welten . . . gesprochen hat:** Giordano Bruno spricht in seiner 1584 erschienenen Schrift *De l'infinito, universo et mondi* (Vom Unendlichen, dem All und den Welten) von mehreren Sonnensystemen, d. h., neben dem die Erde einschließenden soll es bisher nicht vorstellbare »neue Welten« geben.

35.15 **Wo ist Gott?:** Vgl. Brechts ähnliche Argumentation in *Der Flug der Lindberghs* (3,16f.).

35.23 **In uns oder nirgends:** Diese Vorstellung Galileis entspricht Giordano Brunos Auffassung, der das Universum mit Gott gleichsetzt und die Natur als Selbstentfaltung Gottes betrachtet.

38.33 **die »Mediceischen Gestirne«:** Galilei nennt 1610 die von ihm entdeckten vier Jupitermonde nach dem florentinischen, durch Teilnahme an internationalen Bankgeschäften zu großem Reichtum und durch geschickte Politik zu bedeutendem politischen Einfluss gelangten Patriziergeschlecht der Medici.

39.28–29 **Der Großherzog . . . Jahre alt:** Gemeint ist Cosimo de' Medici II. (1590–1621), der 1609 mit 19 Jahren IV. Großherzog von Toskana wird und den Galilei als Prinzen unterrichtet hat. 1610 tritt Galilei als »Erster Mathematiker und Philosoph« in den Dienst des florentinischen Hofes.

Weil die Mönche dort herrschen: Vgl. Anm. zu 18.26 und 19.19–20. 40.9

er sehenden Auges geht: Vgl. Hiob 21,20: »Seine Augen mögen sein Verderben sehen.« 40.25

Wenn ich ... erhellen wird: Galileis Widmung, die er seiner 1610 erschienenen Schrift *Sidereus Nuncius* (Sternenbotschaft) voranstellt, schreibt Brecht nach Wohlwills Angaben (a. a. O., Bd. 1, S. 272). 41.12–24

Speichellecken: In seiner Auseinandersetzung mit den Intellektuellen, die Brecht in einem Silbenspiel »Tuis« nennt, greift er das Motiv des »Speichelleckens« wiederholt auf; so schreibt er für seinen *Tuiroman* einen Traktat über *Die Kunst des Speichelleckens* (17,142 ff.), und 1937 verfasst er ein *Lied des Speichelleckers* (14,365 f.). 42.12

Cosmo de Medici: Vgl. Anm. zu 39.28–29. 43.3–4

epizyklische Bahn: Mathematisches Prinzip innerhalb des ptolemäischen Systems, mit dem sich die scheinbare Bewegung der Planeten mathematisch berechnen lässt, indem eine aus Haupt- und Nebenkreis (Epizykel) zusammengesetzte Bewegung geometrisch dargestellt wird. 46.21–22

musizierenden Sphären: Im 2. Buch seines Werkes *De caelo* (Über den Himmel) beschreibt Aristoteles die unhörbare Harmonie der »singenden« Himmelssphären, gemäß der Vorstellung, bei der Bewegung der Kristallschalen des Himmelsgewölbes entstünde die sogenannte »Sphärenmusik«. 48.2

Satellitentafeln: Zeittabellen, auf denen die Stellung der Planeten gegenüber der Erde aufgezeichnet werden. 48.5

des Katalogs: Sternkarten, auf denen mithilfe der Sternbilder die Lage der Fixsterne verzeichnet sind. 48.6

Gründe, Herr Galilei, Gründe!: In den scholastischen Wissenschaften werden die Gründe für ein Phänomen nicht aus den zu beobachtenden Tatsachen bezogen, sondern gegenüber den vorhandenen »Wahrheiten« der Bücher auf ihre Wahrscheinlichkeit hin geprüft (vgl. Galileis Kritik an diesem Vorgehen in einem Brief an Johannes Kepler vom 19. 8. 1610: Wohlwill, a. a. O., Bd. 1, S. 335). 48.24

was in Ihrem Rohr ... sein kann: Galilei wird wiederholt vorgeworfen, sein Fernrohr sei Betrug (vgl. Wohlwill, a. a. O., Bd. 1, S. 283). 48.29–31

50.30–31 **Der Mann hatte kein Fernrohr!**: In seinem *Dialog* betont Galilei, dass Aristoteles auch zu den neuen Einsichten gelangt wäre, hätte er ein Fernrohr besessen.

51.4 **Die Wahrheit . . . der Zeit**: Geflügeltes Wort in der Renaissance (»veritas temporis filia«), das Brecht von Bacon übernimmt (vgl. *Franz Bacos Neues Organon*, a. a. O., S. 135).

52.33 **Christopher Clavius**: Der dt. Jesuitenpater Christoph Clavius (1537–1612) leitete die Überprüfung der Entdeckungen Galileis im Collegium Romanum. Auftraggeber der Überprüfung ist jedoch nicht der florentinische Hof, sondern Kardinal Bellarmin.

53.9 **Arcetri**: Kleines Dorf in der Nähe von Florenz, in dem Galilei wohnt und ab 1633 unter Hausarrest steht.

58.9 **Ursulinerinnen**: 1535 gründet Angela Merici (1474–1540) die nach der heiligen Ursula (4./5. Jh.) benannte Klostergemeinschaft, die sich v. a. der Kranken- und Armenpflege sowie dem Unterricht von Mädchen widmet.

58.20 **Venus**: Mit der Entdeckung, dass sich die Venus wie der Mond der Erde in zu- und abnehmender Gestalt zeigt, kann Galilei 1610 erneut die Richtigkeit des heliozentrischen Weltbilds nachweisen.

59.19 **Merkur**: Nach seinen Venus-Beobachtungen untersucht Galilei den Planeten Merkur, dessen Phasen allerdings erst 1639 mit einem weiterentwickelten Fernrohr nachgewiesen werden.

61.20–21 **in der höchsten Sphäre**: Dem ptolemäischen System nach ist das Weltall in acht Sphären aufgeteilt: Von der Erde ausgehend sind dies in symmetrischer Folge die Träger von Mond, Merkur, Venus, Sonne, Mars, Jupiter, Saturn sowie als achte und äußerste Sphäre die Träger der Unveränderlichen, der Fixsterne.

61.21–22 **ein neuer Stern**: David Fabrizius entdeckt 1572 einen neuen Stern, der zu einem Streit über die kopernikanische Lehre unter den Astronomen Europas führt.

61.30 **Tycho Brahe**: Der dän. Astronom Tycho Brahe (1546–1601) entdeckt 1572 in der Cassiopeia einen neuen Stern, eine sogenannte »Nova«. Vier Jahre später baut er eine Sternwarte, mit deren Hilfe er die aristotelische Ansicht sowohl über die Kometen als auch die Sphärentheorie widerlegen kann. 1599 geht er nach Prag, wo er seine Mars-Beobachtungen fortsetzt, die zusammen mit seinen genauen Messungen Grundlage für Keplers spätere Arbeiten über die Planetenbahnen sind.

Tafeln des Kopernikus: Gegenüber den ptolemäischen Berechnungen über die Stellung und den Lauf der Gestirne ermöglichen Kopernikus' Tabellen genauere Standortbestimmungen. 62.10–11

»Sonne, steh ... Tale Ajalon!«: In der Diskussion um das heliozentrische Weltbild spielt diese Bibelstelle (Josua 10,12) eine zentrale Rolle, weil mit ihr der Nachweis geführt wird, die Sonne müsse sich notwendigerweise bewegen, da Gott sie zum Anhalten zwinge. Galileis Beweise scheitern an der Tatsache, dass seine Gegner die Bibel wortwörtlich nehmen. 62.17–18

Es gibt ... Mensch und Tier: Anspielung auf die Entwicklungslehre von Charles Darwin (1809–1882) sowie auf die Abstammungstheorie von Jean Lamarck (1744–1829). 63.6

seinen Sohn schicken: Hinweis auf die Lebens- und Passionsgeschichte Jesu, der einst als Erlöser der Welt wiederkehren soll, d. h., wäre die Erde nicht Zentrum des Universums, würde Gott Jesus nicht dorthin schicken. 63.30

Ebenbild Gottes: Vgl. 1. Mose 1,27: »Und Gott schuf den Menschen zu seinem Bilde.« 64.23

Index: Papst Paul IV. erlässt 1559 zur Bekämpfung reformatorischer und naturwissenschaftlicher Schriften den *Index librorum prohibitorum* (Verzeichnis der verbotenen Bücher). 66.3

Haus des Kardinals Bellarmin in Rom: Kardinal Roberto Bellarmin (1542–1621) teilt Galilei im Auftrag des Papstes am 26. 2. 1616 mit, er dürfe die kopernikanische Lehre nur noch in Form einer hypothetischen Betrachtung verfolgen. Als Angehöriger des Jesuitenordens und Verfasser berühmter Streitschriften zu Religionsfragen, gilt Bellarmin als einer der führenden Theologen der damaligen Zeit. 66.8

Thais: Griech. Hetäre im Gefolge Alexanders des Großen von Makedonien, die diesen zur Zerstörung der Stadt Persepolis veranlasst haben soll. 66.17

Via del Trionfo: Brecht spielt mit dem Straßennamen »Weg des Triumphs« auf Galileis Popularität an. 67.7

Lorenzo de Medicis: Der Großherzog von Toskana, Lorenzo de' Medici (1449–1492), der auch den Beinamen »Il Magnifico« (der Prächtige) trägt, gilt zu seiner Zeit als einer der bedeutendsten Dichter Italiens. Er macht Florenz für einige Jahre zum politischen und kulturellen Zentrum Italiens. 67.28

67.29–32 **»Ich, der ich . . . Jugend Übermut!«**: Ein Schäfergedicht Lorenzo de' Medicis aus der Sammlung *Corinto*, das Brecht vermutlich aus dem Englischen ins Deutsche übersetzt hat. Diese Verse bilden auch das Motto der Sammlung *Knabenbriefe. Der fünfzehnjährige Astore Manfredi an den siebzehnjährigen Francesco Gonzaga* (übers. v. Charlotte Westermann, Düsseldorf 1908), die sich in Brechts Nachlassbibliothek befindet.

68.6 **Kardinal Barberini**: Mit Kardinal Carlo Maffeo Barberini (1568–1644) ist Galilei seit 1611 persönlich bekannt. Barberini ist ein in der Kirche anerkannter Wissenschaftler und zugleich Dichter, der einige poetische Werke veröffentlicht hat. Er schätzt Galilei sehr, neben Huldigungsbriefen verfasst er auch ein Gedicht auf ihn. Nach seiner Wahl zum Papst am 6. 8. 1623 ändert sich seine Haltung; als Urban VIII. betreibt er Galileis Verurteilung durch die Inquisition.

68.7 **Masken . . . Taube**: In der christlichen Tiersymbolik steht die Taube für den Heiligen Geist. Das Lamm gilt als Symbol für den Gottessohn. In der ersten Fassung des Stückes lässt Brecht die Kardinäle Bellarmin und Barberini eine Fuchs- und eine Eselsmaske tragen; erstere steht in der christlichen Tiersymbolik für die Eigenschaften des Teufels, letztere für die Laster Dummheit, Trägheit und Geiz sowie für die Tugend Enthaltsamkeit.

68.9–10 **»Die Sonne . . . Ort zurück«**: Vgl. Prediger 1,5: »Die Sonne geht auf und geht unter und läuft an ihren Ort, daß sie dort wieder aufgehe.« Im folgenden Zitatenduell stimmen Galileis Anspielungen im Wesentlichen mit den Sprüchen der Bibel überein, während der Geistliche bis zur Entstellung »frei« aus der Heiligen Schrift zitiert (vgl. Grimm 1986).

68.14 **Das Ufer bewegt sich fort**: Brecht übernimmt die Motive des Disputs aus Wohlwill, a. a. O., Bd. 1, S. 563.

68.30–31 **»Wer aber . . . Volk fluchen.«**: Vgl. Sprüche 11,26: »Wer Korn zurückhält, dem fluchen die Leute.«

68.32 **»Der Weise . . . sein Wissen.«**: Vgl. Sprüche 12,23: »Ein verständiger Mann trägt seine Klugheit nicht zur Schau.«

68.34–35 **»Wo da . . . des Ochsen.«**: Vgl. Sprüche 14,4: »Wo keine Rinder sind, da ist die Krippe leer; aber die Kraft des Ochsen bringt reichen Ertrag.«

69.1–2 **»Der seine Vernunft . . . Stadt nimmt.«**: Vgl. Sprüche 16,32:

»Ein Geduldiger ist besser als ein Starker und wer sich selbst beherrscht, besser als einer, der Städte gewinnt« (vgl. auch Sprüche 21,22).

»Des Geist ... die Gebeine.«: Vgl. Sprüche 17,22: »Aber ein betrübtes Gemüt läßt das Gebein verdorren.« 69.3–4

»Schreiet ... nicht laut?«: Vgl. Sprüche 8,1: »Ruft nicht die Weisheit, und läßt nicht die Klugheit sich hören?« 69.4

»Kann man ... verbrennt nicht?«: Vgl. Sprüche 6,28: »Oder könnte jemand auf Kohlen gehen, ohne daß seine Füße verbrannt würden?« (vgl. auch Sprüche 25,22). 69.5–6

in Kreisen oder Ellipsen: Nach Kopernikus bewegen sich die Planeten in Kreisen um die Sonne, nach Kepler hingegen in elliptischen Bahnen. 69.21

Ich bin ein gläubiger Sohn der Kirche ...: Galilei ist zeit seines Lebens ein überzeugter Katholik, und in seiner wissenschaftlichen Arbeit sieht er keineswegs einen Widerspruch zur Kirche, da er auch die Natur als Werk Gottes betrachtet. 70.27–28

nach der die Sonne: Brecht zitiert aus dem Gutachten der Inquisition über die kopernikanische Lehre (vgl. Wohlwill, a. a. O., Bd. 1, S. 623). 71.11

höchst geliebte Tochter der Kirche: Der mittelalterlichen Scholastik entsprechend ist die Wissenschaft Magd der Kirche. 72.12–13

Vertrauen wird dadurch erschöpft: Vgl. Brechts Gedicht *Deine Taten werden nicht gutgeheißen* (15,101) sowie *Über die Erschöpfung des Vertrauens* im *Buch der Wendungen* (18,136). 72.16

Schütten Sie ... Bade aus: Nach den Sentenzen aus der Bibel lässt Brecht nun Barberini Redensarten zitieren, d. h. Galilei solle nicht so radikal vorgehen und mit dem Schlechten auch das Gute verwerfen. 72.20–21

Worauf er ... Lamm verwandelt: Fortsetzung der Argumentation mit Redensarten, hier »unschuldig wie ein Lamm«. 72.27–28

Wenn es ... ihn erfinden: Voltaires Ausspruch aus dem Jahr 1769 wird zum geflügelten Wort. Vgl. auch Brechts Geschichte *Herr Keuner und die Frage, ob es einen Gott gibt* (13,18). 72.32–33

ganz unvorstellbar weit ausgedehnt: In der damaligen Vorstellung eines auf die Erde und damit auf den Menschen bezogenen Weltganzen gelten die neuen Erkenntnisse über die unvorstellbaren Entfernungen der Gestirne als ungeheuerlich, weil sie für den Menschen keinen direkten Nutzen darstellen. 74.23

76.17 **daß zwei mal zwei:** Vgl. Brechts *Rede über die Widerstandskraft der Vernunft* (22,333 ff.) aus dem Jahr 1937.

76.20 **Dekret:** Auf der Grundlage ihres Gutachtens über die kopernikanische Lehre erlässt die Inquisition am 3. 3. 1616 eine amtliche Verfügung, der zufolge Kenntnisnahme, Besitz und Verbreitung der wissenschaftlichen Werke von Kopernikus bestraft werden, während die rein hypothetische Behandlung der Lehre weiterhin gestattet ist. Am 5. 3. 1616 wird das Dekret veröffentlicht.

77.8 **Folterinstrumente:** Die Inquisitionsgerichte steigern bei ihren Verhören den Einsatz ihrer Mittel, um Geständnisse zu erzwingen. Als die beiden letzten Stufen gelten die Vernehmung im Angesicht der Folterinstrumente und schließlich die Folter selbst.

77.11 **Bauern in der Campagna:** Vgl. Wolfgang Hallet (1994), der diese Szene als Brechts Kritik am Prinzip der »Einfühlung« interpretiert.

78.2 **Welttheater:** Vorstellung vom gottgelenkten »Theatrum mundi«, in dem jeder Mensch die ihm zugeteilte Rolle spielt. Vgl. Pedro Calderón de la Barcas um 1641 erstmals aufgeführtes Schauspiel *El gran teatro del mundo* (Das große Welttheater), in dem er die bereits in der Antike bekannte Vorstellung vom Leben als Spiel und der Welt als Bühne aufgreift.

78.35–79.1 **der Stellvertreter des milden Jesus:** Gemeint ist der Papst als Stellvertreter Christi auf Erden. Im Kampf gegen die gegen Mitte des 16. Jh.s. beginnende Gegenreformation ist das kath. Spanien ein wichtiger Verbündeter Roms, weshalb die verschiedenen Päpste die Kriege Spaniens unterstützen. Für Deutschland greift Brecht hier auf den Dreißigjährigen Krieg (1618–1648) voraus, in dem es neben zahlreichen nationalen Konflikten auch um die Macht der röm. Kirche ging.

79.20–21 **»Seid fruchtbar und mehret euch«:** Vgl. 1. Mose 1,22.

79.26 **Cellini-Uhr:** Eine von dem florentinischen Goldschmied und Bildhauer Benvenuto Cellini (1500–1571) angefertigte Uhr.

80.11 **Esquilinischen Gärten:** Kunstvolle Gärten um den Palast des röm. Ritters Maeceneas auf einem der sieben Hügel Roms.

80.19 **mein Schönheitssinn:** Vgl. Brechts Ausführungen zu einer »Ästhetik der exakten Wissenschaften« mit Bezug auf Galilei, Einstein und Oppenheimer (23,66).

Die Winkelsumme im Dreieck: Vgl. Brechts 1937 verfasste *Rede über die Widerstandskraft der Vernunft* (22,333 ff.). 80.24

Hier stehen ... Flut bewegt: Kurz vor dem Erlass des Dekrets beschäftigt sich Galilei intensiv mit den Ursachen von Ebbe und Flut, die er aus der Bewegung der Erde erklärt. 81.9–10

Ein Apfel ... der Erkenntnis!: Anspielung auf die Vertreibung Adams und Evas aus dem Paradies, weil sie vom Baum der Erkenntnis gegessen haben (vgl. 1. Mose 2,16–17). 81.14

Ich denke manchmal: Diese Äußerung Galileis übernimmt Brecht aus Wohlwill, a. a. O., Bd. 1, S. 400. 81.16–17

Thronbesteigung eines neuen Papstes: Brecht verbindet hier zwei historische Vorgänge: Barberini wird 1623 zum Papst gewählt, während die erwähnten Forschungen Galileis, einschließlich seiner Schriften über schwimmende Körper und Sonnenflecken, in die Jahre 1610–1613 fallen. 82.3

Schwimmende Körper: Auf Veranlassung des toskanischen Herrscherhauses verfasst Galilei 1611 seinen antiaristotelischen *Diskurs über die Körper, die auf dem Wasser schwimmen oder in demselben sich bewegen.* 1612 erscheint die Schrift, in der Galilei auch astronomische Probleme im Sinne der kopernikanischen Lehre behandelt, was zu ersten Denunziationen bei der Inquisition führt. 82.27–28

eiserne Nadel; Aristoteles: Experimentell werden die physikalischen Grundsätze des Aristoteles überprüft. Im Gegensatz zur ersten Fassung nennt Brecht hier nicht mehr den florentinischen Gelehrten Flaminio Papazzoni, der im Streit mit Galilei über die schwimmenden Körper zwei Grundannahmen von Aristoteles übernimmt, die dieser in der Schrift *De caelo* (Über den Himmel) so formuliert: Eis als verdichtetes Wasser hat eine größere Schwere und die Form eines Körpers ist entscheidend dafür, ob er auf dem Wasser schwimmt. Deshalb zieht Papazzoni den Schluss, Eis könne nur als flache Scheibe auf dem Wasser schwimmen (vgl. Wohlwill, a. a. O., Bd. 1, S. 404). 82.28–29

zu einem richtigen Astronomen: Zu Galileis Zeiten ist die Astrologie noch nicht von der Astronomie getrennt. Die Astrologie deutet im Horoskop aus der Konstellation der Sterne bei der Geburt eines Menschen dessen Charakter und Schicksal (vgl. Brechts *Keuner*-Geschichte *Das Horoskop;* 18,38). 84.19–20

84.26–27 **Steinbock ... Aszendenten**: Tierkreiszeichen für die Zeit vom 22.12. bis 19.1. Als Aszendent gilt in der Astrologie das Tierkreiszeichen, das bei der Annahme einer scheinbar täglichen Bewegung der Himmelskugel um die Erde zu dem Zeitpunkt, für den das Horoskop gestellt wird, über dem Horizont des Beobachtungsortes steht. Im Gegensatz zu Brechts Figur der Virginia sind Galileis Töchter Virginia (geb. 13. 8. 1600) und Livia (geb. 18. 8. 1601) »Löwin« im Sinne der Tierkreiszeichen.

85.18 **Traktat des Fabrizius**: 1611 erscheint in Wittenberg die Studie *Narratio de maculis in sole observatis et apparente earum cum sole conversione* (Mitteilung über die Flecken, die auf der Sonne zu beobachten sind und zugleich mit dem Umlauf der Sonne sichtbar werden) des Astronomen und Theologen Johann Fabrizius (1587–1615).

85.19–20 **Sternenschwärme**: Diese These vertritt nicht Fabrizius, sondern der Jesuit und Mathematiker Christoph Scheiner (1575–1650), welcher 1612 unter dem Pseudonym »Apelles« eine Abhandlung über die Sonnenflecken veröffentlicht. Nachdem Galilei diese erhält, verfasst er seine Schrift *Geschichte und Deutung der Sonnenflecken* (1613).

85.24 **In Paris und Prag**: Vgl. Anm. zu 20.34. Mit Descartes steht der historische Galilei in keiner Verbindung, jedoch mit Kepler, der sich schon sehr früh mit den Sonnenflecken in Hinblick auf die Rotation der Sonne beschäftigt.

86.4 **unter das Schindeldach**: Brecht übernimmt den Text von Wohlwill, a. a. O., Bd. 1, S. 441, der Keplers Beobachtungen im Jahr 1607 beschreibt.

86.29–30 **ob er ... als Wasser**: Eine der gegen Aristoteles gerichteten Beweisführungen Galileis, die er als Experiment und als theoretische Schlussfolgerung in seinem physikalischen Hauptwerk *Discorsi* beschreibt.

86.34–36 **»Eine breite ... Nadel untersinkt.«**: Beide Behauptungen Aristoteles' widerlegt Galilei mittels seiner Experimente am florentinischen Hofe.

87.2–3 **das Wasser ... zerteilen vermag**: Aristoteles' Annahme, für das Schwimmen eines Körpers sei die Form entscheidend, erweist sich als falsch.

87.10 **Fulganzio**: Ein Mönch namens Fulgenzio Micanzio ist mit dem historischen Galilei befreundet und tritt nach dessen Prozess und Verurteilung öffentlich für ihn ein.

Eine Hauptursache ... eingebildeter Reichtum: Brecht zitiert hier fast wörtlich aus *Franz Bacos Neues Organon*, S. 48. 87.31–32

Sonnenfleckenorgien: Anspielung auf die verschiedenen Theorien über die Sonnenflecken zwischen 1611 und 1613. 89.4

ein Netz von Quadraten: ein Netz von Meridianen und Parallelkreisen. Indem Galilei das Sonnenbild direkt auf ein Messblatt projiziert, gewinnt er exakte Zeichnungen über Ausdehnung, Lage und Bewegung der Sonnenflecken (vgl. Wohlwill, a. a. O., Bd. 1, S. 460). 91.26

Gott wird die Physik erlauben: Anspielung Brechts auf den Dualismus bei Descartes, der in seinen *Meditationes de prima philosophia* (Meditationen über die Grundlagen der Philosophie, 1641/42) die neuesten naturwissenschaftlichen Erkenntnisse mit den überlieferten Vorstellungen der Religion auf eine philosophische Grundlage zu stellen versucht. 92.5–6

in der Sprache des Volkes: Galilei verfasst den Diskurs über die schwimmenden Körper 1612, die Schrift über die Sonnenflecken 1613 und den *Dialogo* 1632 in ital. Sprache. Brecht zitiert Galileis Begründung aus Wohlwill, a. a. O., Bd. 1, S. 465 f. 94.1

Fabrizius' Sternschatten ... von Prag: Anspielung auf den Traktat von Johann Fabrizius und Keplers Annahmen über die »Dünste«, die von der Sonne ausgehen. 94.35–95.1

die Rotation der Sonne: Den Beweis dafür erbringt Galilei 1613 mit seiner Schrift *Geschichte und Deutung der Sonnenflecken*. 95.1–2

laßt alle ... Beobachtung eintretet: Das geflügelte Wort stammt aus Dante Alighieris (1265–1321) zwischen 1307 und 1321 entstandenem Werk *La Divina Commedia* (Die göttliche Komödie), wo es im 3. Gesang des 1. Teils über dem Eingang zur Hölle heißt: »Laßt alle Hoffnung fahren, die ihr eintretet!« 95.6–7

Herrn Hofphysikers: Vgl. Anm. zu 39.28–29. 97.17–18

Und sprach ... Bleib stehn!: Vgl. Anm. zu 62.17–18. 98.15

1633: Am 12. 4. 1633 beginnt der Prozess gegen Galilei, nachdem er am 1. 10. 1632 aufgefordert worden ist, vor dem Inquisitionsgericht in Rom zu erscheinen. Anlass für Denunziationen bei der Inquisition ist sein 1632 veröffentlichter *Dialog*. 102.2

103.1 **Herr Vanni:** Merkwürdigerweise benutzt Brecht hier den Namen eines erbitterten Kritikers von Galilei, des Jesuiten und Lehrers am Collegium in Florenz, Giovanni Francesco Vanni.

103.12–13 **Die Bibel und der Homer:** Ersteres gilt auch für Brecht, der 1928 auf eine Umfrage nach dem stärksten Leseerlebnis antwortet: »Sie werden lachen: die Bibel.« Zitate aus der Bibel bzw. aus der *Ilias* und der *Odyssee* finden sich in zahlreichen Werken.

103.19–20 **diesen mechanischen Kultivator aus Deutschland:** Gerät zum Lockern des Bodens und zur Unkrautbeseitigung. Im Laufe des 17. Jh.s. beginnt in Deutschland und England die Entwicklung zur Mechanisierung landwirtschaftlicher Geräte.

103.25 **Ärzten von Bologna:** Als führende Universität auf dem Gebiet der Medizin besitzt die Universität von Bologna als eine der ersten ein »Anatomisches Theater«, d. h. einen Präpariersaal für menschliche Leichen.

103.29 **Geldmärkte:** Anfang des 17. Jh.s. entstehen in Amsterdam und London Handelsbörsen.

103.29 **Gewerbeschulen:** Diese Schulen haben als technische Laboratorien v. a. die Funktion praktischer Lehranstalten.

103.30 **Regelmäßig erscheinende Zeitungen:** Die ersten Zeitungen im heutigen Sinne stammen aus dem 17. Jh., dürfen aber lange nur mit Genehmigung des Landesfürsten oder anderer Behörden erscheinen und unterliegen strengster Zensur.

107.27 **auf den Zweifel begründen:** Vgl. Anm. zu 11.27–28.

107.28–30 **»Du bist ... sein sollen.«:** Der Zweifel richtet sich gegen einige der christlichen Gebote (vgl. 2. Mose 20,2 u. 17).

107.31 **Eurer Heiligkeit Liebe zur Kunst:** Gemeint sind die Vatikanischen Kunstsammlungen, die als Museen allerdings erst im 18. Jh. gegründet werden.

108.5 **Eurer Heiligkeit spanische Politik:** Brecht übernimmt einige Formulierungen über die Politik des Papstes aus Leonardo Olschki, *Galilei und seine Zeit*, Halle 1927, S. 395 f. Als Folge zahlreicher Eroberungskriege gehören weite Gebiete Italiens zur spanischen Krone. Als 1599 mit dem Aufstand Campanellas in Kalabrien die Unabhängigkeitsbewegung gegen Spanien beginnt, steht der Papst aufseiten der Spanier.

108.6–7 **das Zerwürfnis mit dem Kaiser:** Obwohl der habsburgische Kaiser Ferdinand II. in der Politik der Gegenreformation aufseiten Roms steht, kommt es nach 1627 zum Streit über die Erbfolge im ital. Herzogtum Mantua.

Deutschland eine Fleischbank: Anspielung auf die Folgen des Dreißigjährigen Krieges (1618–1648). 108.8

lutherischen Schweden im geheimen Bündnis: Durch die Siege Wallensteins im Dreißigjährigen Krieg sieht die röm. Kirche ihre europäischen Machtinteressen durch jene der habsburgischen Monarchie unter Ferdinand II. bedroht. Nach dem Eintritt Schwedens in den Krieg versucht der Papst über den französischen Kardinal Richelieu Kontakt zum schwedischen König Gustav II. Adolf aufzunehmen, um dessen Vordringen für die eigene Politik zu nutzen. 108.13

schwach im Fleisch: Vgl. Matthäus 26,41: »Der Geist ist willig, aber das Fleisch ist schwach.« 108.27

Kompaß: Der Magnetkompass ist in Europa seit dem 11. Jh. bekannt. 108.34

über die Maschinen geschrieben: Bereits 1593 verfasst Galilei eine Schrift über den Nutzen der Maschinen *Le Meccaniche* (Über die Mechanik), die allerdings erst 1634 publiziert wird. 109.1

Wenn das Weberschifflein . . . keine Knechte: Brecht zitiert hier aus Aristoteles' Schrift *Politica* (Politik). 109.7–10

Versailles . . . Wiener Hof: Nach Galileis Verurteilung setzt sich der Gesandte Frankreichs in Rom, Graf Noailles, dem Galilei seine *Discorsi* widmet, ebenso für den Verurteilten ein wie der Kaiser in Wien. 109.35–110.1

sein Buch erlaubt: Der Papst befürwortet ab 1630 die Veröffentlichung des *Dialogs* unter der Bedingung, dass Galilei in einem Vor- und einem Nachwort erkläre, er behandele die kopernikanische Lehre nur hypothetisch. Die Zensurbehörde hintertreibt die Publikation immer wieder, doch 1632 erteilt der Zensor von Florenz die Druckgenehmigung. 110.11

In seinem Buch streiten: Vgl. Anm. zu 25.9. 110.15

Schlußbemerkung: Der Papst fordert für den Druck eine Schlussbemerkung, in der zum Ausdruck kommen soll, dass trotz aller guten Gründe in diesem Buch kein Zweifel an der göttlichen Allmacht gegeben sei. Galilei nimmt dieses Argument auf, legt es Simplicio in den Mund, doch das letzte Wort behält Salviati mit dem Argument, dies sei eine wahrhaft himmlische 110.18–19

Lehre, die es gestatte, den Bau des Weltalls zu erforschen, nicht aber erlaube, ihn wirklich zu durchschauen. In diesem Schluss, d. h. in der Kritik des vom Papst geforderten Arguments, liegt eines der Motive für den Umschwung von einstiger Freundschaft zu Gegnerschaft bei Papst Urban VIII.

110.28–29 **die Instrumente zeigt**: Am 16. 6. 1633 ordnet der Papst an, Galilei die Folter anzudrohen, um ihn zum Widerruf zu zwingen.

111.2–3 **22. Juni 1633**: Galilei wird an diesem Tag im Palast der Inquisition dazu verurteilt, der kopernikanischen Lehre abzuschwören. Zugleich verbietet der Spruch der Kardinäle den *Dialog*.

111.29–30 **nicht veröffentlichen**: Der *Dialog* wird bereits wenige Wochen nach seinem Erscheinen von der Inquisition eingezogen.

112.15–16 **23 Tage im Kerker gesessen**: Während des Prozesses steht Galilei unter Arrest im Haus des florentinischen Gesandten in Rom.

112.16 **das große Verhör**: Am 21. 6. 1633 findet das letzte von insgesamt vier öffentlichen Verhören vor dem Inquisitionstribunal statt.

113.22–24 **Und die Sonne ... unbeweglich**: Bezieht sich auf die beiden Sätze, die der Inquisition zur Beurteilung der kopernikanischen Lehre 1616 vorgelegt werden und als falsch und im Sinne der Kirche als verwerflich gelten. Sie stellen Standardformulierungen in Urteilen gegen Anhänger der kopernikanischen Lehre dar und sind auch in dem Galilei von der Inquisition vorgelegten Widerrufstext enthalten.

113.26–27 **kann man nicht ungesehen machen**: Abwandlung des geflügelten Wortes aus einer Komödie von Plautus: »Was geschehen ist, kann man nicht ungeschehen machen.«

114.16 **Ich Kleingläubiger!**: Vgl. Matthäus 6,30: »ihr Kleingläubigen.«

114.33–115.7 **»Ich, Galileo ... entgegen ist.«**: Brecht bezieht sich hier auf den Text des Widerrufs laut Wohlwill, a. a. O., Bd. 2, S. 181.

116.6–22 **Ist es nicht ... offenbar irrig**: Brecht entnimmt mit geringfügigen Änderungen den Text den Eingangsseiten der *Discorsi*, wo ihn Salviati äußert. Galileis physikalisches Hauptwerk entsteht nach dessen Verurteilung und wird erstmals 1638 im holländischen Leiden gedruckt.

117.18–19 **Durchreise**: Der wiederholte Hinweis auf die »Durchreise« legt es nahe, die Gans als Geschenk von Andrea zu betrachten, da auch dieser betont, er sei »auf der Durchreise«.

alter Fuchs: Anspielung auf das Kinderlied *Fuchs, du hast die Gans gestohlen*. 118.17

Wohltätigkeit versaget niemals: Vgl. 2. Korinther 1,15: »daß ihr abermals eine Wohltat empfindet«. Vgl. Grimm (1986). 119.10

»Wenn ich ... ich stark.«: Vgl. 1. Korinther 4,10: »wir schwach, ihr aber stark«. 119.18–19

Paulus an die Epheser III, 19: In der Bibel heißt es dort: »und die Liebe Christi erkennen, die doch alle Erkenntnis übertrifft, damit ihr erfüllet werdet mit aller Gottesfülle«. Brecht sieht in Paulus den größten Verfälscher des Christentums, und während der Bühnenproben 1956 nennt er den Brief an die Epheser »Schwachsinn« und »Schundroman«. 119.24–25

unnachahmbaren Imitatio: Ironische Anspielung auf das neben der Bibel am weitesten verbreitete Buch des ausgehenden Mittelalters, die 1415 entstandene Erbauungsschrift *De imitatione Christi* (Über die Nachfolge Christi) des Mystikers Thomas von Kempen (1379/80–1471). 119.28

Descartes: Nach der Verurteilung Galileis sieht sich René Descartes (1596–1650) gezwungen, sein bereits fertig gestelltes naturphilosophisches Werk *Le monde de M. Descartes ou le Traité de la lumière et des autres principaux objets des sens* (Die Welt des Herrn Descartes oder Die Abhandlung über das Licht und die anderen Hauptgegenstände der Sinnenwelt) nicht zu veröffentlichen. Es erscheint erst 1664. 121.28

Man gestattet ... nicht gestattet: Ironische Abwandlung des lat. Sprichworts »Quod licet Jovi, non licet bovi« (»Was Jupiter erlaubt ist, ist nicht auch dem Ochsen erlaubt«). 122.2–3

pochend auf sein Pfund Fleisch: Anspielung auf William Shakespeares Komödie *Der Kaufmann von Venedig*, wo Shylock (IV,1) seinem Schuldner Antonio ein Pfund Fleisch aus dessen Körper schneiden will. 123.17–18

»Wenn dich ... reiß es aus.«: Biblisches Sprichwort als Warnung gegen Versuchungen und Ärgernisse (vgl. Matthäus 18,9 und 5,29). Brecht wählt dieses Zitat in seiner 1939 publizierten Studie *Über reimlose Lyrik mit unregelmäßigen Rhythmen* (22, 357ff.) als Beispiel dafür, was »gestisches« Sprechen bewirken kann und soll (vgl. auch 22,329). 123.31

»Mein Vorsatz ... wissenswert sind.«: Brecht übernimmt den 124.11–15

Text sinngemäß aus Galileis *Discorsi*, wo er am Beginn des 3. Kapitels *Über die örtliche Bewegung* steht.

124.35 **Neue Wissenschaft, neue Ethik:** Brecht bezieht einige der folgenden Argumente, z. B. zur Frage der Ethik der Wissenschaftler sowie zum allgemeinen Verhältnis der Wissenschaft zur Gesellschaft, direkt aus *Franz Bacos Neues Organon* (vgl. 5,409).

126.11 **Die Große Babylonische:** Das biblische Bild der großen Hure Babylon, getränkt vom Blut der Heiligen und der Zeugen Christi, steht für das Böse, das von einem neuen Zeitalter abgelöst wird, und ist zugleich Sinnbild der Hurerei (vgl. Offenbarung 17 und 18 sowie 1. Buch der Könige 11,5). Brecht nutzt das Bild hier v. a. als Metapher für »geistige Prostitution«.

126.23 **In meinen freien Stunden:** Brecht wünscht sich, diese »große Rede« auf einer Platte zu haben (Briefe, 560).

127.24 **tausendjährigen Perlmutterdunst:** Anspielung auf Hitlers »tausendjähriges Reich« sowie auf die Verschwommenheit des Perlmutterglanzes.

127.28–30 **Ich halte . . . zu erleichtern:** Brecht übernimmt den Satz sinngemäß aus *Franz Bacos Neues Organon*, S. 131.

128.4–6 **Jubelschrei . . . Entsetzensschrei:** Anspielung auf den Abwurf der amerik. Atombomben über Hiroshima und Nagasaki am 6.8. und 9. 8. 1945.

128.12–13 **den hippokratischen Eid:** Moralisch-ethische Grundlage für den Beruf des Arztes, auf den Mediziner noch heute vereidigt werden; dem griech. Arzt Hippokrates (460–375 v. Chr.) zugeschrieben, der als Begründer der wissenschaftlichen Heilkunde gilt.

129.3–4 **Gib acht . . . Deutschland kommst:** Direkte Anspielung auf Hitler-Deutschland.

129.17 **Wie ist die Nacht?:** Vgl. die gleiche Frage in der 3. Szene (38.17). Durch die Veränderungen ist diese kurze Sequenz Sinnbild für Galileis Macht bzw. Ohnmacht.

130.2–3 **überschreitet die italienische Grenze:** Vgl. Brechts 1938 geschriebenes Gedicht *Legende von der Entstehung des Buches Taoteking auf dem Weg des Laotse in die Emigration* (12,32ff.).

130.10–12 **ein Feuerfall . . . uns all:** Anspielung auf die atomare Vernichtung als Apokalypse; vgl. Offenbarung 20,9: »Und es fiel Feuer vom Himmel und verzehrte sie.«

früh am Morgen: Vgl. die Regieanmerkung und die Bühnenrequisiten der 1. Szene, die hier »aufgenommen« werden: der Tagesbeginn, das Motiv der Milch und der Bücher, die Belehrung. 130.13

Kann man ... Luft fliegen?: Vgl. Brechts Gedicht *Ulm 1592* (12,19f. bzw. 18,373) aus den 30er Jahren, das er in dem Band *Kalendergeschichten* 1949 bewusst vor seine Geschichte um Giordano Bruno mit dem Titel *Der Mantel des Ketzers* (18, 375ff.) stellt, um so Bezüge zu Galilei und seiner Zeit herzustellen. 132.15